Gli Oscar

J Hall

Roberto Leydi

I CANTI POPOLARI ITALIANI

120 testi e musiche

con la collaborazione
di Sandra Mantovani
e Cristina Pederiva

Arnoldo
Mondadori
Editore

Sommario

I canti popolari italiani

Un populu
mittitilu a catina
spugghiatilu
attuppatici a vucca,
è ancora libiru.

Livatici u travagghiu
u passaportu
a tavula unni mancia
u lettu unni dormi,
è ancora riccu.

Un populu
diventa poviru e servu
quannu ci arrobanu a lingua
addutata di patri:
è persu pi sempri.

Diventa poviru e servu,
quannu i paroli non figghianu paroli
e si mancianu tra d'iddi.

Ignazio Buttitta (gennaio 1970)

La musica popolare italiana
di Roberto Leydi

1. Fino a pochi anni fa problema chiuso nell'attenzione di alcuni specialisti isolati, la musica popolare pare oggi approdare alle sponde del successo, della moda, forse anche del consumo di massa. Se ieri l'ansia dei pochi che credevano al significato di provocazione culturale delle manifestazioni attive del mondo popolare era, da un lato, di realizzare la più ampia e compiuta raccolta possibile del materiale (per colmare un gran vuoto e per inseguire il disfacimento del tessuto tradizionale), e dall'altro di spezzare l'emarginazione e rompere i decrepiti schemi accademici del "folklore" per inserire la loro problematica nel dibattito vivo, oggi la loro preoccupazione è di contrapporre alla mondanizzazione alienante e alla mistificazione consumistica del "folk" il rigore di un intervento senza spazi per le ambiguità, gli equivoci, gli esiti della logica del profitto e del successo. C'è certo da dire che la moda del "folk" ha investito una parte soltanto del materiale comunicativo popolare, quello cioè che era riducibile a canzonetta o cabaret e quello in cui la forza provocatoria non è prepotentemente emergente, ma anche in questi limiti il processo di intorbidamento e di inquinamento dell'industria della musica porta conseguenze assai gravi, ingenerando confusione e, soprattutto, mortificando il nascente interesse di moltissimi giovani per la musica popolare e per quanto questa musica testimonia. Quest'interesse si colloca, secondo il mio giudizio, nell'ambito di quella generale insoddisfazione « del pubblico giovane per quanto riguarda sia i contenuti delle canzoni di consumo sia le forme musicali » ma anche nel filo di una più ampia e profonda presa di coscienza della realtà, delle contraddizioni in cui i giovani si trovano a vivere, del bisogno ansioso di autenticità, tutti elementi che la musica di consumo non è in grado (e non vuole) di rendere manifesti. Il rifiuto giovanile, allora,

può esprimersi con la negazione globale della realtà oggettiva attraverso l'invenzione di una realtà soggettiva, permanente variabile a seconda dello stato psichico dell'individuo: teatro happening, poesia beatnik, canzone hippie, riunioni con allucinogeni, musica psichedelica, ecc. Quando invece l'insoddisfazione spinge alla ricerca di una radice in una realtà già esistente e questa realtà è riconosciuta al di là della storia e della cultura "ufficiali" nella cultura e nella storia del popolo, allora si ha lo sviluppo di un preciso movimento che nei paesi anglosassoni viene chiamato "folk revival".[1]

Naturalmente nel gioco entrano, con violenza, altre componenti, messe in moto dall'industria del divertimento e dal sistema consumistico le cui capacità di utilizzare commercialmente ed esorcizzare culturalmente le istanze autentiche dei giovani sono ormai enormi, fino al punto di impedire all'ansia vera dei più di rendersi conto della strumentalizzazione di cui sono vittime.[2] •In questa logica, la spirale della ricerca del profitto (soprattutto in una situazione di tipo coloniale qual è quella della musica di consumo in Italia) allarga sempre di più le prospettive di sfruttamento delle istanze del pubblico per farne una moda allargata a un consumo sempre più vasto. Già oggi vediamo come, in Italia, l'industria discografica e la RAI-TV cerchino di coprire l'intero arco delle possibilità commerciali del cosiddetto "folk" per includere sia un pubblico che presume di saper scegliere sia quel pubblico che ormai a scegliere ha rinunciato. Di qui i molti livelli apparenti del "folk" commerciale, da un genere apertamente canzonettistico a un genere falsamente "autentico", da un genere apertamente evasivo a un genere pretestuosamente impegnato. Ai margini il lavoro dei pochi cantanti che operano, faticosamente, nel filo del "folk revival",[3] rifiutando il condizionamento commerciale e anche la strumentalizzazione politica contingente e volgare. Il loro impegno è quello di operare per una nuova circolazione non alienata, nella realtà contemporanea, della comunicazione popolare; non recupero consumistico ma inizio (se possibile) di un procedimento ritrovato di espressione autonoma dalla sub-cultura imposta dall'egemonia; contributo alla fondazione di una nuova cultura per una nuova società.

Il "folk revival" si colloca, quindi, come componente di un più ampio movimento che coinvolge anche, nelle sue connotazioni ideologiche, la ricerca etnomusicologica.

---

[1] Si veda la nota di presentazione del disco: *Almanacco Popolare / Canti popolari italiani* / ALBATROS VPA 8089.
[2] Ciò è evidentissimo, per esempio, per la musica cosiddetta "underground" che continuamente emerge dal suo "sottosuolo" per opera di organizzazioni che in nulla condividono le istanze che quella musica crede di esprimere.
[3] Per un'esposizione della cronaca e dei problemi del "folk revival" negli Stati Uniti, in Gran Bretagna e in Italia si veda: R. Leydi, *Folk Music Revival*, Palermo, Flaccovio, 1972.

La ricerca etnomusicologica più avanzata, infatti, ha ormai acquisito coscienza che l'interesse per la musica delle culture orali tradizionali può applicarsi lungo un arco molto esteso che va dalla ricerca specialistico-formale (di carattere musicologico), alla ricerca in ambito antropologico, sociologico, filologico, storico, psicologico, ecc. e addirittura confluire nell'intervento attivo a livello di azione/provocazione culturale e politica.

Alla scienza etnomusicologica, cioè, si possono chiedere gli strumenti per una corretta lettura degli oggetti comunicativi orali-tradizionali formalizzati dalla musica; per una definizione formale dei sistemi strutturali entro i quali gli oggetti comunicativi si collocano; per il riconoscimento comparativo dei vari "sistemi". Ma si possono chiedere anche alcuni strumenti primari o integrativi per identificare la dinamica generale delle culture "altre", siano esse fuori o dentro il nostro territorio geografico o culturale; per cercare di cogliere il segno non contingente della lotta di classe e delle lotte di liberazione; per verificare l'estensione dell'autonomia delle culture che furono dette subalterne; per leggere le linee di talune trasformazioni socio-culturali già avvenute o in atto; per intervenire nella restituzione del patrimonio comunicativo ai popoli e alle classi che escono (o cercano di uscire) dalla subordinazione, sia essa quella colonialistica o quella sociale.

In altri termini, la ricerca etnomusicologica può essere assunta come strumento meramente formale (ma non per questo neutrale) di "comparazione" fra sistemi diversi e astrattamente dichiarati fra loro "eguali" (prolungamento della dichiarazione d'eguaglianza fra tutti gli uomini delle costituzioni liberali) e proporsi quindi, in concreto, come superficiale compensazione ai nostri rimorsi eurocentrici; oppure come strumento di effettivo intervento per la restituzione dei mezzi comunicativi (compreso il controllo dei veicoli di trasmissione) ai loro legittimi proprietari, cioè ai popoli che ne sono stati spogliati.[1]

Dal tipo di domanda che alla disciplina etnomusicologica vien posta ne deriva, ovviamente, una differente prospettiva ideologica e pratica nella ricerca, un diverso atteggiamento verso il rapporto testo/contesto, in definitiva un modo "altro" di collocarsi nell'indagine e di fronte all'indagine. Ne consegue anche una diversa utilizzazione delle metodologie, degli strumenti di ricerca, di identificazione e di interpretazione, dell'as-

---

[1] Molto interessante, quale sintomo attivo della contrapposizione fra i due modi di intendere l'interesse etnomusicologico, l'acceso dibattito che si è sviluppato a Firenze, nel 1971, nell'ambito della tavola rotonda "La musica occidentale e le culture extra-europee", organizzato in occasione del XXXIV Maggio Musicale, fra Alain Daniélou da una parte e Leo Levi e Diego Carpitella dall'altra. I materiali sono pubblicati nei Quaderni (n. 2) dell'Ente Autonomo del Teatro Comunale di Firenze.

sieme dei mezzi che la disciplina etnomusicologica dispone per la razionalizzazione dell'oggetto che gli è specifico. Ne consegue, da un lato, l'ac-
cettazione della ricerca come attività «naturalistica» tesa a raccogliere
oggetti comunicativi come lepidotteri o molluschi rari e il suo rifiuto e,
sul versante opposto, l'impegno ad affrontare la realtà entro la quale siamo tutti duramente coinvolti e della quale siamo tutti responsabili, sia
essa, geograficamente, attorno a noi (mondo popolare) o fuori di noi
(mondo "primitivo").

Ma io entravo nelle case dei contadini pugliesi come un compagno, come un
cercatore di uomini e di umane dimenticate istorie, che al tempo stesso spia la
sua propria umanità, e che vuole rendersi partecipe, insieme agli uomini incon-
trati, della fondazione di un mondo migliore. (Ernesto De Martino)

2. Da queste considerazioni discendono necessità articolate di impegno
sia per chi agisce nell'ambito della ricerca sia per chi presume di poter
intervenire direttamente con il "revival". E discendono responsabilità
comuni, fondate sulla presa di coscienza, documentata, della realtà specifica della comunicazione orale/tradizionale, dei suoi processi, del suo
contesto. Affrontare la riesecuzione di un canto popolare significa, per
chi non vuol far ciò per assecondare una moda o per soddisfare personali
esigenze emotive od estetiche, approfondire la conoscenza non solo di
quel canto ma di tutto quanto quel canto manifesta e quel canto motiva;
e significa inseguire una identificazione culturale, emotiva, ideologica,
persino sentimentale con il momento di vita di cui quel dato canto è
funzione espressiva. Il rischio è quello della soluzione accademica, della
ripetizione fedele ma insensata di qualcosa che già esiste. La difesa può
essere nel collocare sempre il controllo accurato delle tecniche esecutive,
desunte dall'insegnamento dei vari cantori e musicisti popolari, nel contesto della società che quelle tecniche ha espresso, vista come fenomeno
dinamico, quindi culturale e storico. Il fine del "folk singer" dev'essere poi
quello di riuscire ad esprimersi in "prima persona", muovendo dall'interno
del mondo popolare, sentito nella sua realtà contemporanea. In altre parole
di diventare un promotore di "folk process" per esprimere, in modi rispon-
denti all'oggi, la rappresentazione del reale nella prospettiva della visione
del mondo propria del popolo.

3. Fondamento d'ogni operazione di studio o di "revival" è la conoscenza della realtà comunicativa tradizionale, poggiata sui documenti originali.

Per quanto riguarda l'Italia se scarso (anzi, scarsissimo) è il materiale musicale finora pubblicato a stampa (mentre assai più abbondante è quello verbale), abbastanza consistente è invece il materiale sonoro che i dischi pongono a disposizione.[1] Questo materiale è essenziale per un reale incontro con la nostra musica popolare.

4. La musica popolare dell'area amministrativa italiana non presenta una situazione omogenea. Anzi, estremamente diversificata. Nell'ambito territoriale della Repubblica coesistono stili e modi fra loro lontani e lontanissimi, più apparentati con aree straniere che fra di loro. Ciò non deve stupire, in quanto non è altro che il riflesso della vicenda storica e sociale del nostro paese, giunto all'unificazione in epoca recentissima e passato attraverso esperienze le più varie e contrastanti. Soltanto il repertorio popolare e popolaresco recente si presenta con una certa superficiale uniformità. Il servizio militare nazionale, la scuola, la prima guerra

---

[1] Ingente è il materiale registrato che si conserva oggi negli archivi pubblici e privati italiani, nonostante il fortissimo ritardo con il quale sono incominciate da noi le ricerche (praticamente nulla era stato fatto prima del 1948). Le maggiori raccolte di registrazioni originali a noi note sono le seguenti:

a) *Pubbliche*

1. Centro Nazionale Studi di Musica Popolare, presso l'Accademia Nazionale di Santa Cecilia, via Vittoria, Roma. Fondato per iniziativa di Giorgio Nataletti, con il concorso dell'Accademia e della RAI. Fino alla morte (1972) Giorgio Nataletti ne è stato il direttore.
2. Discoteca di Stato, palazzo Antici-Mattei, via dei Funari, Roma. L'archivio di musica popolare è stato promosso dalla dottoressa Anna Barone, direttrice fino al 1971 della Discoteca e coordinato da Diego Carpitella.
3. Museo delle Arti e Tradizioni Popolari, piazza Marconi, Roma-EUR. Le raccolte di documenti sonori sono realizzate e coordinate da Annabella Rossi.
4. Istituto Sardo di Studi Etnomusicologici, presso il Museo Nazionale "S. A. Sanna", di Sassari. Diretto da Pietro Sassu.

b) *Private*

1. Istituto Ernesto De Martino, via Melzo, 9, Milano. Costituito nell'ambito delle Edizioni del Gallo.
2. Raccolta di Roberto Leydi, Milano.
3. Archivio etnofonico siciliano, Palermo. Nell'ambito dell'Associazione per la conservazione delle tradizioni popolari. Raccoglie soprattutto il lavoro di ricerca, in Sicilia, di Elisabetta Guggino.
4. Raccolte per lo più locali di Bruno Pianta, Carpi (Modena), Giorgio Vezzani, Reggio Emilia, Amerigo Vigliermo, Bajo Dora (Torino), Franco Castelli, Alessandria, Glauco Sanga, Milano, Italo e Paola Sordi, Milano, Eva Tormene e Giorgio Orlandi, Milano, Sandro Portelli, Roma, Sergio Lodi e Giuseppe Morandi, Piadena (Cremona), Cesare Bermani, Milano, Gualtiero Bertelli, Venezia, Claudio Noliani, Trieste, Nicola Jobbi, Cerqueto di Fano Adriano (Teramo).

mondiale, le migrazioni interne e poi i mezzi di comunicazione di massa hanno determinato la diffusione nazionale di alcuni canti e di alcuni moduli, ma sotto la superficie le difformità tradizionali sono rimaste vive e anzi emergono a dare, al materiale "nazionale", colori locali e particolari.

In una pagina ormai famosa, Costantino Nigra scriveva nel 1888: [1]

L'Italia, per quanto spetta ai dialetti in essa parlati e alla sua poesia popolare, va divisa in due grandi zone, nettamente distinte.[2] Lasciando da parte la Sardegna, la di cui poesia popolare non c'è nota che per alcuni troppo rari esempi tratti dalla raccolta di poesie artificiose dello Spano,[3] il Friuli, coi suoi dialetti e coi suoi canti speciali, la Corsica con i suoi vóceri, dei quali v'è traccia anche in altre parti d'Italia, e omesse naturalmente le colonie straniere stabilite nella penisola, queste zone si dividono quasi per metà la popolazione italiana e comprendono, l'una la Liguria, il Piemonte, la Lombardia, l'Emilia e la Venezia; l'altra il resto d'Italia. Nell'Italia superiore i dialetti hanno caratteri fonologici e sintattici diversi da quelli dell'Italia inferiore [...] A questo diverso carattere dei dialetti delle due parti d'Italia corrisponde un diverso carattere esterno della rispettiva poesia popolare. L'Italia superiore ha la canzone, colla metà almeno dei versi a desinenza tronca: l'Italia inferiore ha lo strambotto, coi versi a desinenza ordinariamente piana [...]

Anche se oggi ci rendiamo perfettamente conto che dietro l'impegno di sistemazione filologica di Costantino Nigra c'era anche la sottintesa preoccupazione di fornire un supporto al privilegio piemontese sulle altre regioni del giovane Regno d'Italia (dimostrando la vocazione epica e civile dei sudditi sabaudi di fronte alla vocazione lirica e amorosa dei cittadini meridionali, rudi cantori di ballate i primi, vaghi stornellatori i secondi), non si può disconoscere che la rappresentazione bipartita della realtà tradizionale italiana abbia un suo preciso fondamento, anche al di là del fatto linguistico, e che le ricerche successive e contemporanee, anche sulla base non considerata dal Nigra del fenomeno musicale, ne abbiano confermato la sostanziale validità. Certo, a noi, oggi, una schematizzazione così netta, in due soli tronconi, pur con la esclusione già dichiarata, per scarsità di dati, della Sardegna, non pare accettabile, ma senza dubbio rimane corretta la indicazione di una cesura assai profonda fra

---

[1] C. Nigra, *Canti popolari del Piemonte*, Torino 1888 (n. ed., Torino, Einaudi, 1957).
[2] Il saggio del Nigra poggia, per la parte dialettologica, sui risultati del lavoro che proprio in quegli anni la linguistica italiana conduce per pervenire a una classificazione dei dialetti del nostro paese. L'ormai classico saggio dell'Ascoli (*Italia dialettale*, in "Archivio glottologico", VIII) è del 1882.
[3] Posteriori al 1888 sono infatti le maggiori raccolte di testi di canti popolari sardi (Ferraro, 1891; Valla, 1892; Bellorini, 1892; Cian e Nurra, 1893; Garzia, 1919; ecc.).

Nord e Sud, anche oltre gli elementi dialettologici acquisiti [1] e le forme testuali esemplificate dal Nigra.

Sulla base degli elementi specificatamente musicali (strutture e modi esecutivi), integrati con gli elementi verbali (forme e motivi) noi possiamo riconoscere l'esistenza di un'*area mediterranea* che coinvolge gran parte dell'Italia meridionale e la Sicilia; di un'*area centrale* le cui connotazioni appaiono sotto certi aspetti rilevanti e per altri ambigue o composite; di un'*area settentrionale* che non pare coinvolgere interamente tutte le regioni citate dal Nigra; di un'*area sarda* che invece si caratterizza con notevole autonomia e, oltre tutto, offre una permanenza di integrità anche funzionale superiore a quella della maggior parte del resto d'Italia.

5. L'*area mediterranea*, o meridionale, si colloca al centro di un più ampio spazio culturale (e non soltanto musicale) che va dal Golfo Persico a Gibilterra, toccando l'Africa settentrionale e buona parte dell'Europa mediterranea. Si tratta di uno spazio abbastanza omogeneo nei tratti di fondo e caratterizzato da alcuni elementi sufficientemente stabili, pur nelle connotazioni particolari dei vari territori. Senza voler tentare un catalogo completo delle caratteristiche dello stile popolare musicale del nostro meridione si può dire che i caratteri emergenti sono i seguenti:

a) impianto spiccatamente melodico
b) base modale di tipo orientale (e soluzioni tonali moderne con larga prevalenza del minore)
c) forte tendenza allo sviluppo melismatico
d) larga prevalenza dell'esecuzione solistica
e) emissione a gola chiusa e voce forte, alta, "lacerata"
f) strutture ritmiche generalmente libere
g) limitata dipendenza da forme strettamente strofiche
h) predominio di testi di carattere "lirico" [2]

---

[1] « Questa linea cioè la linea di demarcazione fra il Centro e il Nord del nostro paese, pressapoco da La Spezia a Pesaro, lungo l'Appennino ha un'importanza eccezionale per la struttura linguistica dell'Italia. Si può dire che rappresenta il limite più marcato nel sistema dialettale dell'Italia. Moltissimi fenomeni glottologici trovano qui una barriera insormontabile » (G. Rohlfs, "La struttura linguistica dell'Italia", in: G. R., *Studi e ricerche su lingua e dialetti in Italia*, Firenze, Sansoni, 1972).
[2] Va avvertito che "lirico" è qui assunto puramente in antitesi a "narrativo", senza implicazione di contenuti. Il grande repertorio "lirico" meridionale si compone, infatti, di canti che, nella maggior parte, sarebbe assai difficile definire "lirici", secondo

i) predominio del metro endecasillabo, in varie combinazioni strutturali, con rime e assonanze parossitone

---

La maggior parte dei caratteri stilistici sopra indicati è esemplificata dai canti nn. 2 / 51 / 95 / 112

---

storia

Se il repertorio tradizionale meridionale vede una prevalenza di canti di tipo "lirico" nei quali soprattutto pare esprimersi il carattere stilistico mediterraneo, non per questo ignora il filone propriamente narrativo, anche se le "storie" cantate del Sud si presentano in forme e caratteri molto diverse dalle ballate del Nord.[1] In generale le "storie" meridionali sono notevolmente lunghe (anche molte decine di versi) e narrativamente distese, cercano cioè di sviluppare in più episodi e con particolari la vita dell'eroe, con digressioni descrittive e interventi commentativi. L'avvio è spesso in prima persona e la conclusione non raramente ha un impegno moralistico.

È molto interessante notare come lo stile esecutivo delle "storie" (oltre che la struttura musicale) sia assai differente da quello dei canti che diciamo "lirici". La necessità funzionale di far ben comprendere le parole e lo svolgimento della vicenda, secondo la tendenza esplicita di tutti i fenomeni narrativi, porta a un canto più lineare, cioè meno decorato, pochissimo melismatico, sottoposto alla logica verbale.

È pensabile (anche sulla base dei documenti) che anche qui, nel Sud, il repertorio narrativo sia stato connesso con l'attività dei cantastorie, i quali, del resto, ancor oggi compongono e cantano sulle piazze (e incidono in dischi che vendono in luogo dei foglietti a stampa e dei libretti con i testi di un tempo), "storie" che in parte mantengono alcuni caratteri di quelle più antiche, giunte a noi, ormai fuor dell'uso dei cantastorie che propongono vicende esemplari d'oggi,[2] nella memoria popolare, in condizioni più o meno frammentate.

La più famosa fra le vecchie "storie" della tradizione siciliana è probabilmente la *Baronessa di Carini*, giunta fino a noi in vari tronconi.

---

il concetto corrente del termine. Si tratta di canti di sdegno, di scherno, di protesta, di rappresentazione anche crudamente realistica della vita, oltre che di canti propriamente "lirici", in senso amoroso.
[1] Alcune ballate di probabile o certa origine settentrionale sono penetrate al Sud e ciò è avvenuto in varie successive epoche e occasioni. Dopo l'Unità e soprattutto con la prima guerra mondiale vari canti del Nord hanno trovato uso al Sud in lezioni "moderne".
[2] Esemplare dei modi e dello stile dei cantastorie contemporanei è Cicciu Busacca, di Paternò, di cui è possibile reperire vari dischi in commercio.

Un frammento della *Baronessa di Carini* è pubblicato con il n. 65. Altro frammento di "storia "è il canto n. 66

Accanto ai canti di tipo solistico, che sono prevalenti,[1] l'area meridio- *Choral* nale presenta alcuni esempi, per lo più legati a precise occasioni funzionali, di canti a impianto polivocale. La polivocalità meridionale, tuttavia, si presenta in forme generalmente meno complesse e articolate di quelle della tradizione alto-adriatica, padano-alpina e sarda. Sviluppo polivocale hanno soprattutto i canti processionali (Settimana Santa) e alcuni canti di lavoro. Nei primi la struttura è quella cosiddetta "ad accordo", che si realizza con l'applicazione di un pedale basso nelle cadenze conclusive di un canto solistico che si svolge, solitamente, nelle forme decorate e melismatiche dello stile mediterraneo.

In alcuni canti di lavoro, legati a una funzionalità ritmica collettiva, la polivocalità si realizza in forme molto semplici, magari eterofoniche, spesso determinate più che altro dallo slittamento di un impianto antifonico (a domanda e risposta).

Strutture responsoriali che possono dar luogo a qualche nucleo di sovrapposizione di voci sono esemplificate dai canti nn. 89 / 90 / 91. Il canto n. 25 potrebbe realizzarsi "ad accordo"

Northern

6. Profondamente differenziata rispetto ai modi dell'area meridionale si presenta la tradizione comunicativa musicale dell'*area settentrionale*. Il territorio che possiamo, in termini un po' generali, considerare specificatamente connotato su modelli settentrionali comprende la Liguria, il Piemonte, la Lombardia, l'Emilia occidentale, il Veneto, con l'eccezione, forse, della fascia costiera, fino all'Istria. L'area settentrionale si collega lungo diverse direttrici con la più grande area europea, pur presentando alcune caratterizzazioni specifiche. I suoi legami sono sia verso la Francia sia verso i contigui paesi di lingua tedesca e slovena, con propaggini, da un lato fino alle Isole britanniche, dall'altro fino alla Germania e ai Carpazi.

Volendo sintetizzare i caratteri dello stile musicale popolare dei territori settentrionali possiamo dire che esso risponde ai seguenti caratteri:

---

[1] O almeno tali appaiono sulla base delle raccolte di canti popolari. Non va però dimenticato che la maggior parte delle vecchie collezioni dei folkloristi italiani è incentrata sull'elemento testuale (raccolta di "poesie" popolari) e mancano totalmente indicazioni relative ai modi di esecuzione.

a) impianto di tipo melodico con disponibilità armonica
b) base modale di tipo nord-europeo, con conseguente disposizione al to-
   nalismo (predominio del maggiore)
c) tendenza alla decorazione, ma molto limitata presenza di melismaticità
d) forte presenza di esecuzione corale (polivocalità)
e) varietà di tipi di emissione, tutti comunque lontani da quelli dominan-
   ti nell'area meridionale
f) strutture ritmiche limitatamente libere e spesso rigide
g) assoluto predominio degli impianti strofici, talora con ritornello
h) larghissima e condizionante presenza di repertorio "narrativo", nel-
   l'ambito della "balladry" europea
i) base su metri cosiddetti epico-lirici, sciolti poi in settenari, ottonari,
   novenari; rime e assonanze ossitone e parossitone; endecasillabo utilizzato nel repertorio "lirico", di probabile importazione.

   Il tipo di esecuzione polivocale oggi dominante nelle regioni settentrionali si organizza per intervalli di terza, lungo la linea proposta dalla voce
principale (il "primo"), che intona, a-solo, ogni inizio di strofa. Questa
voce offre spesso decorazioni, che ovviamente non possono venir riprese
dal coro. Il repertorio polivocale comprende sia ballate che canti lirici
che canti funzionali.

Esempi di polivocalità settentrionale: nn. 12 / 19 / 21 / 30 / 47 / 53b /
53c / 54 / 68 / 71 / 76 / 80 / 97 / 98 / 99 / 105 / 115 / 116 / 118 / 119

   In alcuni casi emergono, nella struttura polivocale del Nord, intervalli
non occasionali di quarta e quinta, a testimoniare forse un livello più
antico. Va notato a questo punto che non è improbabile che a deter-
minare un maggior sviluppo di pratica corale nelle regioni settentrionali,
pur su base già esistente, abbia contribuito la sparizione degli strumenti
musicali. Si può cioè ipotizzare che venendo a mancare l'accompagnamento strumentale (di strumenti prevalentemente a bordone, quali la zampogna, vari tipi di cetre, la ghironda, ecc.) si sia sentita la necessità di
sviluppare di più l'accompagnamento vocale.
   Un livello più arcaico è rappresentato, sempre nel Nord, da uno stile
solistico, per lo più applicato alla ballata, che ha tutt'ora una certa presenza (soprattutto in Piemonte) e propone un modo di cantare a voce
piana e aperta e un tipo di melodia su base modale-europea che s'appa-
renta con tutto il modo di base della ballata, dalla Catalogna alla Germania, dalla Francia alla Scozia. Infatti, in Europa occidentale, la soluzione polivocale non ha estensione, oltre l'area padana e quella alpina,
che in Slovenia, parte della Croazia, l'Austria, la Germania meridionale,

parte dei Carpazi, con emergenze localizzate nel Galles, nella Bretagna, nella Galizia spagnola.

Esempi di stile solistico, a livelli più o meno arcaici, i canti nn. 69 / 70 / 78 (su testi di ballate)

Se il fondo della tradizione comunicativa del Nord è costituito dalla ballata, non per questo i repertori settentrionali ignorano i canti "lirici", cioè non narrativi, sia su metro endecasillabo che su altro metro. In generale anche i canti su endecasillabi si differenziano abbastanza nettamente, per carattere del testo e per impianto musicale (oltre che per i modi d'esecuzione), da quelli dell'Italia centrale e meridionale. L'ottava, per esempio, è sconosciuta, assai rara è la sestina, frequente la quartina e ricorrente il distico. Si ha anche, al Nord, un uso frequente di ripetizioni di versi (distici che diventano quartine). Ancora vive sono strutture "liriche" con "liolela", cioè ritornello nonsense che molto probabilmente replica vocalmente un caduto ritornello strumentale. Nel Nord le sequenze di villotte erano largamente utilizzate per i balli cantati.

La raccolta presenta vari modelli di canti "lirici" del Nord:
a) testi su endecasillabi: nn. 43 / 44 / 45 / 52
b) testi su endecasillabi, con "liolela": n. 47
c) testi su metri diversi dall'endecasillabo, o misti: nn. 53 / 54 / 57

Livelli testuali e musicali di tipo arcaico, o comunque non recente, sono presenti, nel canto popolare del Nord, in formule magiche, orazioni, ninne nanne, giochi infantili, canti di lavoro, per lo più ritmici.

Esempi i canti nn. 1 / 4 / 6 / 7 / 87 / 88

A radici profonde, funzionalmente e talora testualmente, si connettono i canti rituali, anche se molto spesso la musica si presenta in forme più recenti.

Canti rituali a vario livello di modernità musicale i nn. 10 / 11 / 12 / 14 / 19 / 21 / 22 / 24 / 27 / 30

7. Di non facile definizione sono i modi stilistici della musica popolare delle province centrali in cui, tuttavia, sono riconoscibili alcuni tratti abbastanza caratteristici e relativamente costanti, in concomitanza con altri

che paiono sbordare dalle aree contermini (e soprattutto da quella meridionale). Va detto, però, che da collocarsi nell'area centrale sono anche territori al disopra della linea appenninica (cioè a nord del confine dialettologico). Moduli centrali sono largamente presenti in Romagna, fino al Delta e condizionano in modo più o meno determinante anche una larga porzione del versante settentrionale dell'Appennino (in territorio emiliano). Anche verso sud, dove la pressione meridionale pare consistente (soprattutto in area abruzzese), modi toscani hanno certo operato una discesa, connotando secondo alcuni caratteri centrali una parte almeno del Lazio (compresa Roma). C'è anche da notare un processo di penetrazione di elementi settentrionali in spazio centrale, come, per esempio, la polivocalità per terze che ha raggiunto con forti esiti l'Abruzzo e il repertorio di ballate che ha arricchito in modo consistente il canto toscano.

Indicando quale area centrale il territorio compreso fra la linea La Spezia-Ravenna e Roma-Pescara (quindi Toscana, parte del Lazio, Romagna, Marche, Umbria, Abruzzo settentrionale, possiamo rilevare, nello stile musicale, un impianto di tipo prettamente melodico, con forte disposizione alla decorazione e al virtuosismo melismatico. Il tipo dominante di esecuzione è solistico, con permanenza, nel versante adriatico, di moduli di diafonia molto antica e fortemente caratterizzato (vedi a pag. 197) e attorno all'Amiata di un uso polivocale a imitazione strumentale, nell'area del *trallallero* (v. pagg. 171 e 252). L'emissione è abbastanza varia e passa da modelli settentrionali a modelli meridionali. Il metro dominante è l'endecasillabo e il fondo del repertorio è prevalentemente "lirico" (l'Italia centrale è caratterizzata anche da un notevole sviluppo delle forme strambotto/stornello), ma non inconsistente il materiale narrativo, sia del tipo ballata che del tipo "storia" (su endecasillabi).

L'ampio arco dello stile del canto "lirico" endecasillabo, da modelli meridionali a modelli tipicamente centrali (Umbria, Marche e soprattutto Toscana) è esemplificato dai canti nn. 41 / 42 / 49 / 50 / 108

La ballata è probabilmente derivata all'Italia centrale dal Nord (anche se qualche testo pare di formazione non settentrionale). I metri delle ballate dell'Italia centrale non sono endecasillabi nel repertorio più antico, mentre il tipico metro di quest'area emerge con le ballate recenti, da foglio volante.

Due esempi di ballate dell'area centrale i nn. 77 / 79 (a diverso grado di meridionalizzazione, in coincidenza con la loro collocazione geografica)

Le forme narrative tipo "storie" (in endecasillabi) si applicano sia a vere e proprie storie di tipo romanzesco (popolarissima è la *Pia de' Tolomei*, in redazioni anche molto lunghe), che alla recitazione dei poemi cavallereschi di derivazione letteraria (soprattutto *Orlando furioso* e *Gerusalemme liberata*).

Esempio il canto n. 67 (a.b)

Anche i moduli musicali degli improvvisatori (o poeti a braccio) sono di questo tipo, sempre applicati all'ottava rima.

Esempio il contrasto n. 60

Larga presenza hanno, nell'Italia centrale, le forme rituali di questua, per diverse scadenze calendariali e i maggi epici. In generale i canti di questua utilizzano, per una funzione molto arcaica, melodie relativamente moderne, su metri che molto spesso non sono endecasillabi, con stile esecutivo poco o per nulla melismatico.

Canti di questua propriamente centrali sono i nn. 17 / 18 / 20 / 23. All'area centrale connessi sono i canti nn. 16 / 26. Di tipo nettamente meridionale il n. 28

---

8. All'interno di questa maggior partizione in tre grandi aree della penisola e Sicilia emergono, con più o meno autonoma evidenza, alcune sub-aree. A parte quelle connotate da un'esplicita condizione etno-linguistica (le "minoranze" che si trovano entro i confini della Repubblica quali gli albanesi di Sicilia, Calabria, Abruzzo e Molise; i provenzali delle valli occidentali del Piemonte; i franco-provenzali della Valle d'Aosta, i walser di Gressoney, Alagna, Macugnaga; le comunità alto-tedesche di varie piccole zone venete e trentine; i ladini del trentino e del Friuli; gli sloveni del Friuli-Venezia Giulia; i russi antichi di San Giorgio di Resia; ecc.) una sub-area che presenta notevolissimo interesse, si caratterizza con sufficienti tratti d'autonomia per alcuni aspetti almeno del momento comunicativo, offre testimonianze di persistenza arcaica e suggerisce, anche in ragione della sua collocazione geografica, una serie di stimolanti ipotesi in ordine alle sue motivazioni d'origine e alla sua tendenza conservativa è quella che potremmo dire *nord-adriatica*. Questa sub-area pare oggi raccogliere l'estesa fascia costiera dell'Adriatico settentrionale, dall'Abruzzo alla Dalmazia (nord), comprendendo popolazio-

ni di lingua abruzzese, marchigiana, umbra, romagnola, veneta, veneto-
istriota e croata.

Pur presentandosi oggi con sistemi (scale e intervalli) non uniformi e
con tipi d'emissione relativamente differenziati, questa sub-area pare uni-
ficata da vari elementi che, con diversa evidenza, emergono in tutto il
suo ambito geografico. Si può notare la presenza di tratti strutturali ed
esecutivi più prossimi a quelli orientali-meridionali che a quelli settentrionali (per esempio la pratica della decorazione melismatica accentuata,
il modalismo di modo orientale con soluzione nel minore, la prevalenza
delle forme "liriche" su base endecasillaba, la nasalizzazione, le voci
chiare e persino stridule; ecc.) e soprattutto rilevare l'esistenza di un
modello di polivocalità del tutto particolare, molto vicina alle forme del
discanto medioevale. Questo modello polivocale diafonico è oggi nell'uso
in Abruzzo, Umbria e Marche e riappare poi fra le comunità venete e
croate dell'Istria e nelle isole del Carnaro, ma si può ragionevolmente
pensare che un tempo dovesse aver piena estensione lungo l'intero arco
costiero nord-adriatico. Attesterebbero ciò alcuni tipi di canti che si raccolgono in Romagna, nel Polesine e nella Laguna veneta, non più eseguiti
diafonicamente (ma solisticamente), la cui struttura melodica è prossima
o coincidente con quella dei canti che sono ancora intonati a discanto.

Esempi di discanto: nn. 55a (Marche) / 55b (Umbria) / 56 (Istria)
Canti dell'area nord-adriatica oggi non più eseguiti a discanto ma probabilmente
riconducibili a caduti modelli polivocali: nn. 46 / 94

Questi canti sono detti *a vatoccu* in Abruzzo, Marche e Umbria; *a pera*
o a *la longa* in Istria. È probabile che ci si trovi di fronte ad una delle
più antiche forme del canto polivocale europeo, legato ad altre tradizioni diafoniche oggi scomparse e matrice, per pressione popolare sul
canto ecclesiastico, della formazione del discanto medievale.

9. In una collocazione a sé, con forte integrità e organicità culturale e
precisa connotazione stilistica, si trova la Sardegna, territorio anche musicale di forte conservazione, nel vivo dell'uso, di elementi arcaici.

Fondamento del canto tradizionale sardo è il *mutu* (e il *mutettu*) che
si realizza in differenti modi esecutivi. Fondati prevalentemente sul metro settenario (più raro l'ottonario, eccezionale l'endecasillabo), i *mutos*
e i *mutettos* sono testi di carattere "lirico", nettamente distinti però da
tutte le altre forme del cosiddetto "canto lirico-monostrofico" (stornelli/
strambotti) delle regioni meridionali e centrali. Presentano infatti la ca-

ratteristica di essere "modulari", nel senso di originare il loro sviluppo, con regole abbastanza precise, dagli elementi o moduli contenuti nei versi della prima "strofa", o *istérria* (*sterrimentu* nel mutettu). La *istérria*, o proposizione del canto, può avere un numero variabile di settenari, con un minimo di due. Dal numero di settenari che compongono la *istérria* deriva il numero di "strofe" che possono, modularmente, venire generate. Le "strofe" che si generano dall'*istérria* sono dette *cambas* e tutte assieme compongono la *torrada* (*cobertanza* nel *mutettu*).

Il *mutu* e il *mutettu* sono eseguiti con voce sola (sia da uomini che da donne), con accompagnamento di chitarra, nelle forme della polivocalità della Sardegna settentrionale, *tenores* e *tasgìa*. Le voci, soprattutto quelle delle esecuzioni polivocali, sono gravi e molto gravi, con disposizione alla decorazione e all'andamento melismatico, ma secondo moduli assai differenti da quelli propriamente mediterranei, di tipo ispano-arabico. Dove lo stile di canto è più autonomamente caratterizzato è nelle regioni interiori dell'isola, un territorio che praticamente non fu mai completamente conquistato e soggiogato dai molti invasori dell'isola, fino al Regno d'Italia.

Mutu solistico, canto n. 58

A caratterizzare l'autonomia stilistica della Sardegna non è soltanto la presenza dominante del *mutu* (accanto al quale vi sono altre forme "liriche", come la *battorina*, forme innodiche, come i *gozos*, forme di questua, come la *gobbula*, oltre le formule di base quali le ninne nanne, i giochi infantili, il lamento funebre, le formule dell'argia (il tarantismo sardo), ecc.,

---

Duru-duru, rima per far giocare i bambini, canto n. 9; gobbula, per Capodanno, canto n. 15

---

ma la presenza dominante di una forma così particolare e complessa, che pare collegarsi con tecniche raffinate di antica poesia europea [1] può essere qui assunta come elemento esemplificante dell'intera condizione della cultura comunicativa tradizionale dell'isola.

La pratica polivocale della Sardegna settentrionale, non soltanto costituisce un fenomeno straordinario di organizzazione delle voci nell'ambito della musica popolare, ma anche propone un più ampio discorso sulle

---

[1] Cfr. A. M. Cirese, *Struttura e origine morfologica dei mutos e dei mutettus sardi*, Cagliari 1964.

forme presumibilmente più arcaiche della polifonia europea, oggi emergenti in poche oasi, anche a enorme distanza fra loro.

Schematizzando due sono le forme di base della polivocalità della Sardegna settentrionale: i *tenores* e la *tasgia*. I *tenores* sono propri del Nuorese e della parte meridionale della provincia di Sassari, la *tasgia* appartiene alla Gallura. I *tenores* sono gruppi di quattro cantori: *sa boghe* (la voce), *sa mesa boghe* (la mezza voce), *sa contra* (la controvoce) e *su bassu* (il basso). *Sa boghe* è il solista che apre il canto con un'esposizione a-solo di varia lunghezza, a seconda del testo verbale e della condizione emotiva. La sua emissione è chiara e forte, assai decorata. Sulla fine del canto della *boghe* entrano le altre voci, che non cantano un testo verbale, ma emettono suoni ("bim-ba-rà", "bim-bo-rò", ecc.) che determinano una compatta struttura d'accompagnamento ritmico che può essere intesa anche come imitazione strumentale. Nello sviluppo delle voci si determinano vari intervalli, di terza, quinta, quarta e sesta.

po-tuc mi bri - gas - ar-ri a ma - - re

Bo - bo-bo-bo-bo-bo-bo-bo - bo-i

Esempio di polivocalità della Barbagia: canto n. 13

La *tasgia* gallurese è impiantata su cinque voci: *tipli, tinora, contra, basciu* e, altissima, *falsittu*. A differenza dei *tenores* barbaricini, la *tasgia* realizza rapporti di tipo più apertamente polifonico (gli intervalli sono di seconda, terza, quarta, quinta, sesta e ottava), con le voci che cantano anche il testo. La *tasgia* è anche fortemente caratterizzata dal *falsittu*, questa voce acuta che si alza a decorare sulle quattro voci più gravi.

È difficile dire se la polivocalità sarda ci ponga di fronte, come ha creduto di intuire Alan Lomax,[1] a modi comunicativi che ci portano ai momenti più arcaici della civiltà pastorale europea, alle soglie forse della preistoria. È certo, tuttavia, che un legame non casuale unisce la pratica polivocale della Sardegna d'oggi ad alcune delle più importanti permanenze di antico stile polivocale, attraverso l'Europa. Si può legittimamente credere che forme parallele di polivocalità a imitazione strumentale, con forte connotazione ritmica, abbiano potuto sorgere in luoghi diversi del nostro continente, ma altrettanto legittimamente si può ipotizzare che alcune almeno delle oasi in cui oggi quel tipo di polivocalità ancora esiste fossero un tempo fra loro collegate e che, comunque, nel suo assieme, indipendentemente da un'origine comune, le manifestazioni di polivocalità a imitazione strumentale, come anche quelle a discanto già ricordate costituiscano il segno di un livello arcaico della cultura europea, qualunque sia l'attuale loro grado di evoluzione, dissoluzione o conservazione. E si può credere che proprio da questi modelli d'uso popolare, un tempo assai più diffusi, abbia preso vita la polifonia europea di tipo "culto".[2]

Per le forme a discanto si veda quanto già detto a pag. 20, ricordando che un tipo simile di diafonia è segnalato anche in Islanda.

Per le forme a imitazione strumentale si hanno varie presenze in aree isolate europee (dalla Georgia alla Bretagna, dove quel tipo di canto è detto *tralalalalero* e si modella sul rapporto "a dialogo" che si ha, strumentalmente, nello stesso territorio, fra la bombarde e il biniou e in Italia la loro emergenza, oltre che nella Sardegna settentrionale, è documentata in Liguria (*trallallero*) con propaggini verso l'Appennino piacentino; in Toscana (*bei*), sul Monte Amiata oggi, nell'Ottocento almeno fino a Pisa; a Dignano (*bitinada*), fra i veneto-istrioti.

[1] A. Lomax, *Nuova ipotesi sul canto folkloristico italiano*, in "Nuovi Argomenti", n. 17-18, Roma 1955-56.
[2] V. Balaiev, *The Folk-Music of Georgia*, in "Musical Quarterly", XIX, 1933.

Tipo di *trallallero* urbano (Genova):

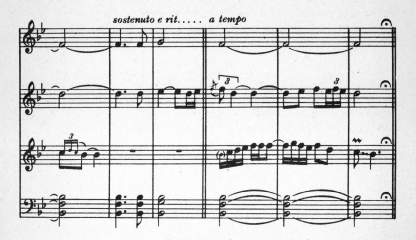

Esempi di *trallalleri* della montagna, assai più semplici dı quelli urbani genovesi: canti nn. 43 / 63 / 73

Roberto Leydi

Nota alla raccolta
di Roberto Leydi, Sandra Mantovani e Cristina Pederiva

Gli oltre centoventi canti popolari che compongono questa raccolta non presumono di documentare l'intera estensione e l'intero spessore della nostra musica orale/tradizionale, né per quanto riguarda le forme, le strutture e le funzioni, né per quanto riguarda i territori stilistici. I canti scelti si propongono come "esempi" desunti da un materiale assai più vasto, estratti secondo alcuni criteri di cui daremo ragione, ordinati empiricamente in vista di una più facile fruizione e sommariamente annotati.

La scelta

La scelta è stata condotta con larga prevalenza su materiale registrato "sul campo", cioè raccolto su nastro magnetico direttamente dalla voce di cantori popolari. Da fonti antecedenti a stampa sono stati ripresi soltanto alcuni documenti per completezza informativa, avendo avuto cura di attingere a studi e raccolte sufficientemente attendibili.

Ciò significa che nella maggior parte i canti qui pubblicati sono inediti nelle loro specifiche lezioni e nella trascrizione. Essi, nel loro assieme, rappresentano, a nostro giudizio, un punto di riferimento concreto alla realtà attuale della comunicazione musicale del nostro mondo popolare, così com'è venuta configurandosi attraverso i risultati delle ricerche demologiche e etnomusicologiche più recenti.

I compilatori hanno tenuto presente la collocazione editoriale di questa antologia, destinata a una larga circolazione e non soltanto alla consultazione degli specialisti. Ma i compilatori credono anche che l'impegno divulgativo e informativo non debba disgiungersi dall'impegno scientifico e per questa ragione hanno cercato di comporre un piccolo "corpus" di canti popolari italiani su materiale originale e con trascrizioni non mistificate.

La raccolta si propone non soltanto di offrire una informazione generale e di prima mano su molti aspetti della comunicazione orale/tradizionale in Italia, ma anche di costituire un primo supporto al movimento di "folk revival". La maggior parte dei canti qui pubblicati, infatti, è eseguibile da cantanti urbani, da "folk singers". Certo diverso è il livello di difficoltà stilistica dei vari brani, anche in rapporto al retroterra culturale e musicale dei "folk singers" che intendono utilizzarli e alla loro origine regionale, ma nell'assieme l'antologia può suggerire la base per vari repertori e proporsi come punto d'avvio per ulteriore lavoro nel filo di un "folk revival" serio, consapevole, non commerciale, non mistificato, con legami reali alla ricerca.

La preoccupazione di essere anche utili ai giovani "folk singers" che intendono, per il loro lavoro, prendere le mosse, anziché dai repertori altrui o dalle raccolte del passato dal materiale autentico raccolto "sul campo" ci ha consigliati a limitare nel numero ma non a escludere i documenti estremamente caratterizzati e quindi difficilmente riseguibili. E ciò per due ragioni. Primo, perché volevamo dare, pur nei limiti generali già dichiarati, un quadro sufficientemente ampio della realtà comunicativa del nostro mondo popolare. Secondo, perché riteniamo che anche il "folk singer" che affronta esecutivamente un repertorio più "facile" (stilisticamente) deve, per dare spessore, senso, valore a quello che fa, aver presente la profondità tutt'intera della nostra musica popolare. Va anche giustificata, crediamo, la relativa prevalenza di testi settentrionali. Ogni raccolta, che non sia un fatto formale di accatastamento di materiale, deriva comunque dalle esperienze dirette dei suoi compilatori. Il nostro lavoro, nel campo della raccolta e dello studio della musica popolare, si è svolto con larghissima prevalenza nelle regioni settentrionali e la musica di queste regioni è quella che più ci è nota, quella che meglio e più interiormente conosciamo. E ciò si è inevitabilmente riflesso anche in questo lavoro.

Le fonti

Di ciascun canto edito è data, nell'elenco a pag. 377, la fonte, cioè il nome di chi l'ha raccolto o, nel caso di canti non ricavati dal nastro, l'opera a stampa da cui il canto stesso è stato desunto. Nell'elenco è anche indicata, con la località d'origine d'ogni canto, la data di registrazione.

Contro un malcostume dominante, per il quale molti "folk singers" italiani utilizzano senza dichiararne la fonte materiale altrui (e parecchi, anzi, si proclamano "raccoglitori" e "ricercatori" diretti), vogliamo invitare quanti riterranno di usare per le loro riesecuzioni canti contenuti in questa nostra raccolta di citare i nomi dei raccoglitori, così come sono indicati nel nostro elenco. Non è questione di tutela economica, poiché la legge italiana non tutela i raccoglitori di materiale popolare, ma soltanto chi quel materiale in qualche modo manipola "creativamente" (!), ma di giusto rispetto per un lavoro compiuto quasi sempre a prezzo di sacrifici e con grande disinteressato impegno.

L'ordinamento

I canti sono ordinati in gruppi non omogenei, cioè ora per forma e ora per funzione. Questa suddivisione, va avvertito, è puramente di comodo e non vuole certo proporsi come schema di razionalizzazione e inquadramento del materiale: abbiamo adottato alcune categorie che riteniamo possano consentire un buon uso pratico della raccolta, ma che non reggerebbero al riscontro con la complessa realtà "interna" della comunicazione orale/tradizionale, nel suo effettivo contesto socio-culturale e di funzione. Di ciò il lettore deve avere piena coscienza per evitare di cadere in un equivoco che lo porterebbe assai lontano dalla comprensione del grande fenomeno della comunicazione popolare, una comunicazione che si muove autonomamente rispetto ai nostri schemi e ai nostri modelli. Le brevi note che precedono ciascun gruppo di canti offrono, pensiamo, indicazioni sommarie ed essenziali per ricollocare i documenti nella loro prospettiva reale, al di là dei nostri schemi empirici.

I testi

I testi sono stati trascritti (ad eccezione dei pochi desunti da antecedenti fonti a stampa) dalle registrazioni originali. Salvo pochissimi casi (dichiarati dall'indicazione: *varie fonti*) [1] non si sono fatte collazioni di testi per completare o correggere testi che potremmo ritenere incompleti, lacunosi, corrotti. Il lettore ha di fronte il documento nella sua realtà e nella sua integrità, così come è stato raccolto.

Per quanto riguarda la possibile riesecuzione, il "folk singer" potrà operare alcuni interventi integrativi, valendosi di altre lezioni a lui note o reperibili nelle opere via via citate nelle bibliografie, ma farà ciò con la prudenza, la cautela e il rispetto necessari.

La trascrizione dei testi è stata realizzata, in vista della collocazione editoriale e della funzione di questa raccolta, con un numero minimo di segni diacritici.[2] Una trascrizione scientificamente più accurata avrebbe reso i testi illeggibili, o quasi. Della maggior parte dei canti pubblicati esistono registrazioni e queste registrazioni sono citate. Queste debbono costituire la base per un ulteriore lavoro non soltanto per quanto riguarda la musica e i modi esecutivi ma anche per i testi, da riscontrare, appena possibile, sugli originali.

La trascrizione dei testi è realizzata sulla base della lingua italiana, con la utilizzazione di alcuni segni supplementari:

é	e chiusa / italiano *sera*
è	e aperta / italiano *bello*
ë	e neutra / inglese *singer*
ó	o chiusa / italiano *solo*
ò	o aperta / italiano *cosa*
ö	francese *feu*
ü	francese *mur*

---

[1] Si tratta di canti recenti, a larghissima diffusione, di struttura, testo, musica costanti. In questi casi abbiamo ricomposto il canto non già in un presunto testo "originale" ma in un testo "possibile", coerente, verificato sull'uso reale.
[2] Questo modo di notazione dei testi è desunto da un modello elaborato da Glauco Sanga.

à	suono intermedio fra *a* e *o*
ā	a nasale / francese *grand*
ǖ	ü nasale / francese *une*
s	s sorda / italiano *soldato*
ś	s sonora / italiano *rosa*
z	z sorda / italiano *azione*
ź	z sonora / italiano *zona*
nh	n gutturale / inglese *thing*

Il suono equivalente al francese *j* (*jardin*) è reso con *sg*
Il nesso grafico *cq* (*acqua*) è trascritto *q* (*aqua*)
c e *g* in fine di parola s'intendono sempre palatali (es. lombardo *biroc* / biroccio); quando gutturali sono indicate con *ch* e *gh* (es. lombardo *cinch* / cinque)
Quando i nessi grafici *sc, sg, gn, gl* non rappresentano un unico suono, ma la successione dei suoni indicati da ciascuna lettera (*s* + *c*, *s* + *g*) vengono distinti da una lineetta che scioglie il nesso (*s-c, s-g*) (es. lombardo *s-ceta* / ragazza; *s-giafa* / schiaffo; piemontese *s-giai* / violento sentimento di disagio fra disgusto e paura; *mas-c* / maschio)
Quando due vocali non formano dittongo si scrivono separate da un trattino (*i-e, i-a, i-u*) (es. piemontese *pi-é* / pigliare; *pi-à* / pigliato); *si-é* / falciato; *pi-ùma* / pigliamo)

Di norma di ogni canto è stata data nella sua completezza (cioè con tutte le riprese e ripetizioni) la prima strofa. Le strofe seguenti sono date per lo più in forma abbreviata,[1] ma è sempre indicata, per evitare equivoci, la struttura integrale, o con una nota alla prima strofa quando l'impianto ripetitivo è relativamente complesso o con la segnalazione dei versi che vanno ripetuti, sempre secondo il modello della prima strofa.

Esempio: *Disse sarò tradito*
            disse sarò negato
            e Giuda disperato } 2
            rispose io non sarò }

il che significa che i versi 3 e 4, chiusi nella graffa, vanno cantati due volte), nei casi di ripetizione semplice.

I testi sono editi senza alcun segno di punteggiatura o di discorso diretto, pur nei casi in cui il senso parrebbe univoco. Ciò, lo ammettiamo, può rendere un poco più difficile la lettura, ma risponde a un criterio scientifico oggi adottato, secondo il principio di non intervenire con interpretazioni (che possono risultare

---

[1] I curatori sanno che è scorretto, in termini scientifici, eliminare le ripetizioni e soltanto indicarne la presenza. Sanno che il testo di un canto popolare ha una integrità che assume come formanti anche le ripetizioni. Hanno rinunciato a un simile rigore per ragioni di spazio, preferendo offrire qualche canto in più. Ma sentono il dovere di apporre questa nota.

non sempre corrette) dello sviluppo logico o narrativo del canto e con l'intenzione di sottrarre il più possibile il testo a una lettura in termini di "poesia". È nella musica, che trova scioglimento la logica espositiva o narrativa dei canti ed è nel momento dell'esecuzione che il testo si articola in modo effettivamente comunicante, al di là delle indicazioni della punteggiatura puramente letteraria.

Le musiche

Anche le musiche (ad eccezione di quelle desunte da fonti a stampa) sono state trascritte direttamente dai documenti registrati su nastro magnetico, senza interventi correttivi o interpretativi. Pure in questo caso si è cercato di contemperare l'esigenza di una trascrizione fedele e accurata con la necessità di conservare alla musica scritta un'ampia leggibilità anche ai non specialisti. Le registrazioni pubblicate in disco e indicate in calce a ciascun canto costituiscono l'indispensabile punto di riferimento perché tutta una serie di elementi importanti ed essenziali degli stili popolari non sarebbero comunque codificabili, neppure con l'introduzione nel sistema di notazione di un gran numero di complessi segni supplementari. In primo luogo non possono venire convenientemente notati o descritti i modi di emissione della voce che costituiscono, come già s'è detto, uno dei fondamenti degli stili musicali. A maggior ragione che nel caso dei testi, per le musiche è indispensabile l'ascolto delle registrazioni originali, sia per avere una più compiuta, corretta e integrale informazione sui documenti, sia per impostare un lavoro di "ricalco", nel campo di un serio "folk revival".

Le melodie sono trascritte nella tonalità originale. Il trasporto in altra tonalità è stato effettuato nel caso di brani che si presentavano in tonalità "difficili" a una lettura non esercitata. In questi casi è sempre data, all'inizio, la indicazione della tonalità originale.

Esempio:

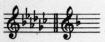

Nelle trascrizioni da registrazioni originali è stata applicata quella che normalmente è detta "notazione integrata", una notazione cioè fondata su quella normale della musica occidentale, con l'aggiunta di alcuni segni specifici. I segni adottati sono i seguenti:

♩   nota accentata

♩   nota molto accentata

♪   nota senza intonazione precisa (parlata, gridata)

'   fiato

                     la nota (o la pausa) più corta di quanto indicato

                     nota tenuta fino all'inizio della pausa, generalmente con un diminuendo

                     nota crescente (meno di un semitono)

                     nota calante (meno di un semitono)

                     appoggiatura

                     acciaccatura

                     glissando

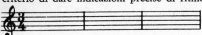

                     divisione ritmica indicativa in melodia a ritmo libero

                     l'originale un'ottava sopra, o un'ottava sotto a come notato

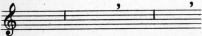

                     dal ritmo fisso indicato si passa a un ritmo libero

Sempre per le musiche trascritte da registrazioni originali si è adottato il criterio di dare indicazioni precise di ritmo:

per quei brani che effettivamente presentano una struttura ritmica regolare e sufficientemente costante. Per quei canti, invece, nei quali l'impianto ritmico è libero non si è cercato in alcun modo di ricondurlo a modelli fissi, limitando il suggerimento ritmico a semi-barre di battuta di valore indicativo e alla notazione dei fiati:

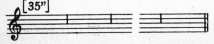

Abbiamo anche rinunciato all'indicazione di metronomo, preferendo dare la durata in secondi, misurata sull'esecuzione originale, del brano trascritto (per lo più una strofa):

[35"]

Per i brani musicali desunti da altre raccolte a stampa si è conservata, con piccoli interventi normativi, la notazione originale.

L'edizione delle musiche è stata cura particolare di Cristina Pederiva.

Le note illustrative

Le note che precedono ciascun canto sono assolutamente sommarie e non hanno altro scopo che di fornire un'indicazione di massima per la collocazione e comprensione del canto. Non pretendono, cioè, di essere anche solo indicativamente esaurienti. Per notizie specifiche più ampie valgono, generalmente le opere citate nella Bibliografia in calce ad ogni canto. Per la comprensione dei termini tecnici che via via ricorrono (pur ridotti al minimo) può essere utile un buon dizionario musicale – e si può segnalare: R. Leydi e S. Mantovani, *Dizionario della musica popolare europea*, Milano, Bompiani 1970, che è di ausilio anche per una migliore conoscenza di vari problemi relativi alla musica popolare.

Le bibliografie

A ciascun canto fa seguito una indicazione bibliografica essenziale. Abbiamo cioè elencato alcune opere o articoli in cui è possibile trovare altri testi del canto ed eventualmente, ulteriori notizie su di esso. In generale e salvo diversa indicazione ci si è limitati a opere o articoli in cui si trovano pubblicati testi della stessa regione o area della lezione del canto cui si riferiscono.

La sigla [m] che segue taluni titoli sta a indicare che del canto in questione è pubblicata anche la musica. Nella scelta delle citazioni bibliografiche si è data la preferenza a quelle opere che riproducono anche la musica.

Le discografie

Per quanto riguarda le discografie in calce a ciascun canto esse riferiscono tutte quelle edizioni pubblicate in disco (e a noi note) del canto stesso che riteniamo documentariamente essenziali o comunque interessanti. Quando non vi è altra indicazione si tratta di esecuzioni raccolte nella stessa area del canto pubblicato. In caso diverso vi è la necessaria precisazione.

Le registrazioni precedute dal segno * sono quelle della esecuzione da noi pubblicata o molto simili.

(Orig) sta per "registrazione originale", cioè esecuzione di interprete o interpreti popolari, raccolta "sul campo".

(Rev) sta per esecuzione ad opera di un cantante urbano di "revival", cioè di una esecuzione con pretesa di fedeltà stilistica; gli esecutori di "revival" sono via via indicati, dopo il titolo del disco.

(Orig/Rev) indica un'esecuzione di interprete o interpreti popolari che però hanno operato anche nel "folk revival" (per esempio: Giovanna Daffini, Gruppo Padano di Piadena).

(Folk) indica un'esecuzione ad opera di interprete che affronta il materiale popolare senza impegno di fedeltà stilistica; per questa categoria abbiamo limitato l'inserimento della indicazione discografica a quelle esecuzioni che, pur non presentando un valore documentario, mantengono un certo generico colore popolare (esclusione dunque delle interpretazioni più esplicitamente cabarettistiche e canzonettistiche). Il lettore e il possibile "folk singer" tengano presente che punto di riferimento essenziale per la conoscenza dei documenti popolari sono le registrazioni originali e, in via subordinata, quelle dei buoni cantanti di "revival". Le altre esecuzioni possono valere per confronto e per integrazione informativa.

Nelle discografie sono state utilizzate le seguenti abbreviazioni:

ARCH SON	Archivi Sonori
COL	Columbia
CWLFPM	Columbia World Library of Folk & Primitive Music
Dds	Dischi del Sole

Tutti i dischi citati sono LP 33rpm/30 cm (12") se non portano le seguenti diverse indicazioni:

(17)	disco 33rpm/17 cm
(45)	disco 45rpm

Guida discografica

Dischi essenziali per la conoscenza della musica popolare italiana

A.   Registrazioni originali

Northern & Central Italy (CWLFPM, vol. XV)
a cura di A. Lomax e D. Carpitella
COL (USA) KL 5173

Southern Italy & the Islands (CWLFPM, vol. XVI)
a cura di A. Lomax e D. Carpitella
COL (USA) KL 5174

Italia, vol. 1 (I balli, gli strumenti, i canti religiosi)
a cura di R. Leydi
ALBATROS VPA 8082

Italia, vol. 2 (La canzone narrativa, lo spettacolo popolare)
a cura di R. Leydi
ALBATROS VPA 8088

Italia, vol. 3 (La canzone lirica e satirica, la polivocalità)
a cura di R. Leydi
ALBATROS VPA 8126

Italia, vol. 4 (I canti della vita e dell'anno)
a cura di R. Leydi
ALBATROS VPA 8145

Italia: Le stagioni degli Anni 70
a cura di S. Portelli
DdS DS 508/513 (2 dischi)

Il cavaliere crudele (La ballata popolare)
a cura di R. Leydi e F. Coggiola
DdS DS 110/112

Donna Lombarda
a cura di F. Coggiola
ARCH SON SdL AS 5

Canti popolari del Piemonte: 1. Canavese
a cura di R. Leydi e A. Vigliermo
ALBATROS VPA 8146

Canti popolari del Piemonte: 2. Cuneo e le sue valli
a cura di R. Leydi, B. Pianta, G. Sanga e I. Sordi
ALBATROS VPA 8147

Gli strumenti popolari: 2. La zampogna in Italia
a cura di R. Leydi e B. Pianta
ALBATROS VPA 8149

La musica sarda
a cura di P. Sassu, D. Carpitella e L. Sole
ALBATROS VPA 8150/52 (3 dischi)

E la partenza per me la s'avvicina
a cura di L. Berti e S. Uggeri
DdS DS 514/516

La Sabina
a cura di S. Portelli
DdS DS 517/519

B.   Esecuzioni di "revival"

Le canzoni di "Bella ciao"
(a cura di R. Leydi e F. Crivelli) (esec. C. Bueno, M. T. Bulciolu, G. Daffini,

Gruppo Padano di Piadena, S. Malagugini, S. Mantovani, G. Marini, C. Mattea, M. L. Straniero)
Dds DS 104/106

Matteo Salvatore: Il lamento dei mendicanti
Dds DS 140/142

Giovanna Daffini e Vittorio Carpi: Una voce un paese
Dds DS 146/148

Giovanna Marini: (Chiesa Chiesa) e otto canzoni popolari
Dds DS 149/151

Controcanale '70 (Giovanna Marini)
Dds DS 1003/5

Caterina Bueno: La veglia
Dds DS 155/157

La Toscana di Caterina (Caterina Bueno)
TANK MTG 8010

Canzoniere toscano (Caterina Bueno)
CETRA LPP 216

Sandra Mantovani: E per la strada
Dds DS 143/145

Almanacco Popolare: Canti popolari italiani
ALBATROS VPA 8089

Servi baroni e uomini (esec. S. Mantovani, C. Pederiva, B. Pianta)
ALBATROS VPA 8090

Il calendario dei poveri (esec. S. Mantovani, C. Pederiva e B. Pianta)
ALBATROS VPA 8144

I
Ninne nanne, rime e giochi infantili

Le ninne nanne, le rime, i giochi infantili costituiscono, con le formule magiche, i gridi, i richiami, certi canti ritmici di lavoro, certi canti rituali, un elemento molto importante del cosiddetto folklore di base, cioè del fondamento arcaico della comunicazione orale/tradizionale. Questi canti hanno quasi sempre struttura semplice, ma in una forma pur poco sviluppata quasi sempre conservano, in modo più o meno esplicito, caratteri strutturali che ci propongono sistemi musicali estranei a quello culto/occidentale e a quelli popolari più recenti. I canti di questo genere, inoltre, testimoniano spesso di quel momento di passaggio dalla parola al canto che rappresenta un oggetto primario d'attenzione per lo studio della comunicazione popolare e spesso propone a livello schematico modelli di formalizzazione più difficilmente individuabili nei canti di maggior sviluppo e di più complessa forma.

Questi canti, inoltre, sono rivelatori di situazioni psicologiche e di tecniche educative che ci rappresentano la società tradizionale in uno stadio di autonomia e specificità culturale non sempre delineabile attraverso il repertorio comunicativo più moderno od ormai meno legato a precise ed elementari funzionalità.

Per quanto riguarda le ninne nanne va osservato che questi canti non assolvevano soltanto al compito di quietare e addormentare i bambini, ma anche a quello di avviare il processo di inculturazione del nuovo nato (e inculturazione non soltanto musicale). Attraverso la ninna nanna, poi, era offerta alla donna un'occasione di sfogo non altrimenti possibile all'interno della società contadina tradizionale (soprattutto meridionale).[1] Ciò spiega in parte perché tanto spesso le ninne nanne, contro l'opinione corrente, non abbiano testi lieti e sereni e musicalmente si connotino come veri e propri lamenti, anche disperati. Come ninne nanne il mondo popolare ha usato testi di ogni origine e carattere e non soltanto quelli (che solitamente sono definiti ninne nanne) in cui è fatto esplicito riferimento al sonno del bambino (con promesse o minacce). Non raramente nei testi delle ninne nanne compare l'immagine della morte e altrettanto spesso appaiono altri segni e immagini paurosi. Ciò che uniforma questi vari testi assunti nell'uso come ninne nanne è la funzione a cui vengono destinati, ma quasi mai i caratteri musicali originari vanno interamente perduti.

Per quanto riguarda le rime e i giochi infantili va ricordato che anche in questo caso la funzione preminente non è quella del gioco, del trattenimento o del divertimento. I giochi che l'adulto fa con il bambino (per esempio quando lo fa saltare sulle ginocchia e poi finge di lasciarlo cadere, o quando gli chiede di battere o muovere le mani a un certo ritmo e secondo un certo modello, o quando gli guida la manina a toccare il naso, la bocca, gli occhi, le orecchie e così via) hanno lo scopo di promuovere il coordinamento dei movimenti, di suscitare il controllo emozionale, di far apprendere nozioni e vocaboli. I giochi che i bambini fanno fra loro hanno (o avevano) invece il fine di suggerire modelli di socializzazione secondo gli schemi culturali del gruppo, attraverso un "rituale" che si sviluppa nell'apparenza del divertimento.

Ninne nanne, rime infantili, giochi sono, cioè, strumenti primari ed essenziali di inculturazione, in una società tradizionale e in una economia contadina.

---

[1] Si veda: A. Lomax, *Nuova ipotesi sul canto folkloristico italiano*, in "Nuovi Argomenti", n. 17/18, 1955-56.

1. EL VEGNARÀ 'L PAPÀ

ninna nanna
Mésero, Milano (Lombardia)

El ve-gna-rà'l pa-pà __ el por-ta a cà'l co-cò __ fa la

nan-na bel po-pò __ fa la nan-na un po' nca-mò __ fa la

nan-na bel po-pò __ fa la nan-na un po' nca-mò __ fa la

nan-na fa la nan-na fa la nan-na bel po-pò. L'al-ter

dì sun dà al mer-cà __ i bum-bòn si ò cum-prà __ ò cum-

-prà d'un tam-bu-ròn __ per fat pas-sà'l ma-gòn __ fa la

nan-na bel po-pò ___ fa la nan-na un po' nca-mò ___ fa la

nan-na   fa la nan-na   fa la   nan-na bel po-pò.

El vegnarà 'l papà
el porta a ca 'l cocò
fa la nanna bel popò
fa la nanna un po 'ncamò
    fa la nanna bel popò
    fa la nanna un po 'ncamò
    fa la nanna fa la nanna
    fa la nanna bel popò

L'alter di sun 'dà al mercà
i bumbòn si ò cumprà
ò cumprà d'un tamburòn
per fat passà 'l magòn
    fa la nanna bel popò
    fa la nanna un po 'ncamò
    fa la nanna fa la nanna
    fa la nanna bel popò

Traduzione

Verra il papà / porta a casa il regalo / fa la nanna bel pupo / fa la nanna
ancora un po' // fa la nanna bel pupo / fa la nanna ancora un po' / fa la
nanna fa la nanna / fa la nanna bel pupo
L'altro giorno sono andata al mercato / i dolci ho comperato / ho comperato un tamburone / per farti passare il pianto // fa la nanna bel pupo / ecc.

Bibliografia

R Leydi, *Le trasformazioni socio-economiche e la cultura tradizionale in Lombardia*, Milano 1972 [m]

Il testo di questa ninna nanna segue un modello amplissimamente diffuso e non soltanto in tutta Italia. Ninne nanne di questo tipo si trovano in moltissime raccolte a stampa, di varie regioni italiane. Per ulteriore informazione citiamo soltanto alcune raccolte lombarde:

M. Storti Azzoni, *Alcune trad. cremonesi*, Cremona 1925

A. Visconti, *I Lombardi*, Milano, sd.

L. Volpi, *Usi, costumi e trad. bergamasche*, Bergamo 1937

G. Tassoni, *Trad. pop. del Mantovano*, Firenze 1964

G. Lombardini, «Della poesia pop. valtellinese», in *Atti del R. Istituto Tecnico*, Sondrio 1927

Per una raccolta con materiale di varie regioni in cui sono pubblicate ninne nanne di questo tipo, con musica:

Trenta ninne nanne popolari italiane, Roma 1934 [m]

Discografia

* (Orig) Disco allegato alla pubblicazione di R. Leydi *cit.* in Bibl.

2. VENI SONNE DI LA MUNTAGNELLA

ninna nanna
Bagnara, Reggio Calabria (Calabria)

O ve - ni son - ne di la mun - ta -gnel - la lu lu - pu si man-giau la pi - cu-rel - la o mam-mà o la nin - na vo' fa. O

ve - ni son - ne di la lan - da mi - a —— lu

mio fig - ghio - lu mu - ta mi vor - rì - a o mam - mà

o la nin - na vo' fa.   Lu mio fig - ghio - lu mu - ta

mi vor - rì - a o mam - mà   o la nin - na vo' fa.

O vèni sonne di la muntagnella
lu lupo si mangiàu la picurella
   o mammà
   o la ninna vo' fa

O vèni sonne di la landa mia
lu mio figghiolu muta mi vorrìa
   o mammà
   o la ninna vo' fa

Lu mio figghiolu muta mi vorrìa
   o mammà
   o la ninna vo' fa

Traduzione

O vieni sonno dalla montagnella / il lupo si mangiò la pecorella // o mammà / o la ninna vuole fare

O vieni sonno dalla landa mia / il mio figliolo muta mi vorrebbe // o mammà / ecc.
Il mio figliolo muta mi vorrebbe // o mammà / ecc.

Bibliografia

R. Lombardi Satriani, *Canti pop. calabresi*, vol. 3, Napoli 1932
E. Cirese, *I canti pop. del Molise*, Rieti 1953
Trenta ninne nanne popolari italiane, Roma 1934   [m]

Discografia

* (Orig) *Southern Italy & The Islands* (cwlfpm, vol. XVI)
col (usa) kl 5174

Per una ninna nanna abruzzese con testo in parte simile:
(Rev) *Chiesa Chiesa e otto canzoni popolari* (canta Giovanna Marini)
dds ds 149/51 cl

3. NANA BOBÒ
ninna nanna
Chioggia, Venezia (Veneto)

Na - na bo - bò   na na bo - bò

tu-ti i bam-bi - ni dor - me   e Gui-do no.

Dor-mi dor-mi dor - mi per un a - no   la sa-ni-tà a to

pa - dre ___ e po - i gua - da - gno e

dor-mi dor-mi dor - mi bam - bin de cu - na

to ma-ma no la gh'è la s'é an-dà vi - a ___ la

s'é 'ndà vi - a la s'é 'nda San - t'A - na ___ la

s'é 'ndà pren-der l'a - qua ___ ni la ___ fun-ta -

-na e la fun-ta - na non è min-ga mi - a ___

la s'é dei pre - ti de ___ Sa - n - ta ___ Lu-ci - a

na - na bam-bin na - na ___ bam-bin. E dor-mi

dor - mi ___ più di u - na con-te - sa _____ to ma-ma

la re - gi - na ___ to pa - re'l con - te

to ma-dre la re - gi - na de la te - ra

to pa-dre il con - te de ___ la ___ a pri - ma - ve - ra.

Nana bobò nana bobò
tuti·i bambini dorme e Guido no
nana bobò nana bobò
tuti i bambini dorme e Guido no

Dormi dormi dormi per un ano
la sanità a to padre e poi guadagno
e dormi dormi dormi bambin de cuna
to mama no la gh'è la a-śé andà via
la śé 'ndà via la śé 'ndà Sant'Ana
la śé 'ndà a prendar l'aqua ni la funtana
e la funtana non è minga mia
la śé de i preti de Santa Lucia
nana bambin nana bambin

E dormi dormi piú di una contèsa
to mama la regina

to pare 'l conte
to madre la regina de la tera
to padre il conte de la a-primavera

Traduzione

Nana bobò nana bobò / tutti i bambini dormono e Guido no / nana bobò nana
bobò / tutti i bambini dormono e Guido no
Dormi dormi dormi per un anno / la salute a tuo padre e poi il guadagno / e
dormi dormi dormi bambin di cuna / tua mamma non c'è è andata via / è andata via è andata a sant'Anna / è andata a prender l'acqua alla fontana / e
la fontana non è mia / è dei preti di santa Lucia / nana bambin nana bambin
E dormi dormi più di una contessa / tua mamma la regina / tuo padre conte /
tua madre la regina della terra / tuo padre il conte della primavera

Bibliografia

A. Dalmedico, *Canti del popolo veneziano*, Venezia 1848
D.G. Bernoni, *Canti pop. veneziani*, Puntata VIII, Venezia 1873
A. Garlato, *Canti del popolo di Chioggia*, Venezia 1885

Discografia

* (Rev) *Ci ragiono e canto* (canta Giovanna Marini)
DDS DS 119/21
* (Folk) *Nineta cara* (canta Luisa Ronchini)
DDS DS 23 (17)

4. NANA CUNCHETA
ninna nanna
Chiusa di Pesio, Cuneo (Piemonte)

Na - nín cun-chín cun - ché - ta la tua

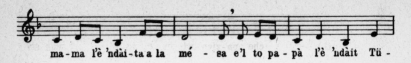

Nanín cunchín cunchéta
la tua mama l'è 'ndàita a la mésa
e 'l to papà l'è 'ndàit Türin
fa nanín o bel bambin

Traduzione

Nanin cunchin cuncheta / la tua mamma è andata alla messa / e il tuo papà è andato a Torino / fa nannina o bel bambino

Bibliografia

C. Nigra, *Canti pop. del Piemonte*, Torino 1888
30 ninne nanne popolari italiane, Roma 1934 ⌊m]

5. FATE LA NINNA FATELA LA NANNA
ninna nanna
San Casciano dei Bagni, Siena (Toscana)

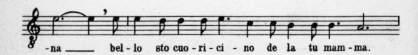

O che pa-zien-za che ci vo con sti

fi-gli un c'è più pa-ce ___ la pap-pet-ta non gli pia-ce ___

von-no stà sem-pre a sci-scià ___ o bel-lo il cit-to e la

mam-ma no. Lo da-re-mo a la Be-fa-na ___ che lo

ten-ghi na set-ti-m-na ___ lo da-re-mo al-

-l'o-mo ne-ro ___ che lo ten-ghi n'an-no an-te-ro ___

n'an-no an-te-ro na set-ti-ma-na ___ lo da-re-mo a

la Be-fa-na ___ o che pa-zien-za che ci vo.

Fate la ninna fàtela la nanna
bello sto cuoricino de la tu mamma

O che pazienza che ci vo
con sti figli un c'è più pace
la pappetta non gli piace
vonno sta sempre a sciscià [1]
bello il citto e la mamma no

Lo daremo a la Befana
che lo tenghi na settimana
lo daremo all'omo nero
che lo tenghi 'n anno antero
'n anno antero na settimana
lo daremo a la Befana
o che pazienza che ci vo

Bibliografia

F. B. Pratella, *Primo documentario*, ecc., Udine 1941 (vol. 2) [m]
G. Giannini, *Canti pop. toscani*, Firenze 1921 (2ª ed.)
G. B. Corsi, *Sena vetus*, in "ATP" X, 1891
L. Neretti, *Fiorita di canti pop. toscani*, fasc. IV, Firenze 1929 [m]

Discografia

(Folk) *Cittadini e contadini* (esec. Il Canzoniere Internazionale)
ZODIACO VPA 8135

6 a.b LA ME NONA L'È VECCHIERELLA
rima per gioco infantile

Questa rima per gioco infantile è un documento di notevole interesse perché consente di attribuire un'ascendenza musicale a quella can-

[1] *succhiare*

zone della Resistenza divenuta notissima che è *Bella ciao* e sulle cui origini e trasformazioni tanto si è scritto e detto, spesso in modo inesatto. Per quanto riguarda il testo, *Bella ciao* (canto n. 120) discende senza alcun dubbio da una canzone narrativa che ha un'ampia diffusione in Italia e in Europa, la canzone solitamente pubblicata con il titolo *Fiore di tomba*.[1]

Per la musica è stata indicata quale ascendenza vicina e forse diretta una canzone di risaia,[2] che a una ricerca più accurata è risultata posteriore alla versione resistenziale (cioè del dopoguerra). Sulla derivazione lontana sono state avanzate diverse ipotesi, ma tutte poco convincenti. Ciò che rendeva problematica la ricostruzione della genesi della canzone era la melodia in modo minore (in un'area, quella settentrionale, dominata dal maggiore) e soprattutto la presenza di quel battito di mani, così estraneo alla nostra tradizione, costantemente presente, nell'uso, ad accompagnare il ritornello. Si era così parlato di un'origine slava, capace forse di giustificare e il minore e le mani battute. Quest'origine slava rientrava del resto nel processo genetico di più d'una canzone partigiana.

La rima infantile che qui pubblichiamo in due lezioni ci offre una plausibile ascendenza per *Bella ciao*. Si tratta di una rima sicuramente anteriore alla canzone resistenziale, su melodia uguale (lezione A) o molto simile (lezione B) a *Bella ciao*, capace di spiegare la presenza del battito delle mani, rimasto, pur defunzionalizzato e rifunzionalizzato (da gioco a scansione incitativa), nel nuovo canto politico.

La me nona l'è vecchierella, infatti, era usato per l'educazione del coordinamento dei movimenti dei bimbi, secondo un procedimento notissimo e applicato a molte altre rime, cioè:

I   sAxdA . sBxdB

II   sAxdB . dAxsB

III   sAxdA . sBxdB

IV   dAxdB

---

[1] Per questa ballata si veda, in questa raccolta, il canto n. 75.
[2] Si vedano: C. Bermani, *Il repertorio civile di Giovanna Daffini*, in "Il Nuovo Canzoniere Italiano", n. 5, febbraio 1965 (dove il canto, su erronea informazione, è datato al 1940) e il disco DDS DS 4 (dove, sempre erroneamente, la datazione è 1932-33). In realtà la versione di risaia di *Bella ciao* è dell'immediato dopoguerra e le parole sono del mondino Scansani, di Gualtieri (Reggio Emilia).

V   sAxdA . sBxdB
VI   sAxsB
e poi da capo

A = primo partecipante / B = secondo partecipante (i due partecipanti al gioco sono di fronte) / s = mano sinistra / d = mano destra / x = battuta contro...

Testualmente questo gioco non è altro che una derivazione da una
ballata molto nota e diffusa, citata di solito nelle raccolte con il titolo
La bevanda sonnifera.

lezione A
Trento (Trentino)

La me nò-na   l'è vec-chie-rel-la   la me fa

ciau la me diś ciau la me fa   ciau ciau ciau la me man-da a la fun-ta-

-nel-la   a tor l'a-qua per de-śi - nar.

> La me nòna l'è vecchierèlla
>   la me fa ciau
>   la me diś ciau
>   la me fa ciau ciau ciau
> la me manda la funtanèla
> a tor l'aqua per deśinar [1]

----

[1] Le strofe che seguono hanno la medesima struttura.

Fontanèla mi no ghe vago
perché l'aqua la me pol bagnar

Ti darò cincento scudi
perché l'aqua la te pol bagnar

Cinque scudi l'è assai denaro
perché l'aqua la me pol bagnar

Alor corro a la fontanèlla
a tor l'aqua per deśinar

Traduzione

La mia nonna è vecchierella / mi fa ciao / mi dice ciao / mi fa ciao ciao ciao /
mi manda alla fontanella / a prender l'acqua per il desinare
Alla fontanella io non ci vado / mi fa ciao / ecc. / alla fontanella io non ci vado / perché l'acqua mi può bagnare
Ti darò cinquecento scudi / mi fa ciao / ecc. / ti darò cinquecento scudi / perché l'acqua ti può bagnare
Cinque scudi è assai denaro / mi fa ciao / ecc. / cinque scudi è assai denaro /
perché l'acqua mi può bagnare
Allora corro alla fontanella / mi fa ciao / ecc. / allora corro alla fontanella /
a prender l'acqua per il desinare

lezione B
Ripalta Nuova, Cremona (Lombardia)

Ti da - rò cin - quan - ta   scu – di la mi di'
ciò la mi fa   ciò ciò   ciò ti da - rò cin - quan - ta

scu - di pren-der l'a-qua per il de-śi - nar.

La mia nonna l'è vecchierèlla
    la mi di' ciò
    la mi fa ciò ciò ciò
la mi manda a la fontanèlla
prender l'aqua per il deśinar [1]

Fontanella non voglio andare
prender l'aqua per il deśinar

Ti darò cinquanta scudi
prender l'aqua per il deśinar

Cinquanta scudi non voglio andare
prender l'aqua per il deśinar

Bibliografia

Per i riferimenti ai canti *Fiore di tomba* e *Bella ciao* v. note ai canti 75 e 120.

Per *La bevanda sonnifera* testi sono pubblicati in moltissime collezioni italiane, a partire da quelle venete del Righi (1863) e di Widter e Wolf (1864). Elenchiamo soltanto alcune raccolte che oltre i testi portano anche le musiche:

G. Bollini e A. Frescura, *I canti della filanda*, Milano 1940 [m]
A. Cornoldi, *Ande, bali e cante del Veneto*, Padova 1968 [m]
L. De Angelis, *Canti pop. della terra picena*, in "Lares", XII, 1941 [m]
C. Nigra, *Canti pop. del Piemonte*, Torino 1888 [m]
B. Pergoli, *Saggio di canti pop. romagnoli*, Forlì 1894 [m]
F. B. Pratella, *Primo documentario*, ecc., Udine 1941 (voll. 1 e 2) [m]
G. Radole, *Canti pop. istriani*, Firenze 1965 [m]
M. A. Spreafico, *Canti pop. di Brianza*, Varese 1959 [m]

Discografia

Per *La bevanda sonnifera* (ballata):
(Orig.) *Northern & Central Italy* (cwlfpm, vol. XV)
col (usa) kl 5173
(Rev) *Almanacco Popolare / Canti popolari italiani*
albatros vpa 8089

[1] Le strofe che seguono hanno la medesima struttura.

7. SE TE SE MES SÜ L'AŚEN

rima per far saltare i bambini sulle ginocchia
Parre, Bergamo (Lombardia)

Nella tecnica educativa tradizionale le rime di questo tipo (e a questo tipo appartengono anche i due testi che seguono, nn. 8 e 9) non hanno soltanto lo scopo di intrattenere e far divertire i bambini facendoli saltare sulle ginocchia, ma anche (e soprattutto) quello di contribuire al coordinamento dei movimenti corporali e delle reazioni emotive (la finta caduta).

Se te se mes sü l'a - śen vö - ría fam mör de

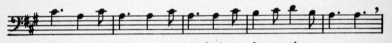

spa - sen me no - nu me bar - ba i vu - ria crum-pà na ca - vra

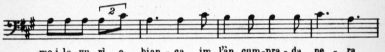

me i la vu - rì - e bian - ca im l'àn cum-pra - da ne - ra

té-gne-la te   té-gne-la te   té-gne-la te tu la mun-śi-ré

té-gne-la te   té-gne-la te   té-gne-la te tu la mun-śi-ré.

Se te se mes sü l'aśen
vöría fam mör de spaśen
me nonu me barba

i vurìa crumpà 'na cavra
me i la vurìe bianca
im l'àn cumprada nera
tégnela té tégnela té
tégnela té tu la munśiré
tégnela té tégnela té
tégnela té tu la munśiré

Traduzione

Se ti sei messo sull'asino / vorresti farmi morire di spasimo / mio nonno mio zio / volevano comperare una capra / io la volevo bianca / me l'hanno comprata nera / tienila tu tienila tu / tienila tu tu la mungerai / tienila tu tienila tu / tienila tu tu la mungerai

Bibliografia

R. Leydi, *Trasformazioni socio-economiche e la cultura tradizionale in Lombardia*, Milano 1972 [m]

Discografia

* (Orig) Disco allegato alla pubblicazione cit. in Bibl.

8. A LA FERA 'D SASSÖL

rima per far saltare i bambini sulle ginocchia
Frassinoro, Modena (Emilia)

1.
2. Per la   fé-ra 'd Sas-söl   tör mu-ié-ra me fiöl   per la
       tör-la be-la s'la tröv

fé-ra 'd Sas-söl   tör mu-ié-ra me fiöl. Per la
       tör-la sgnu-ra s'la   pöl. Ta

ra ra ra rà ra ra ra rà ra ra ra rà ta

ra ra ra rà ra ra ra rà ra ra ra rà. Ta rà.

Per la féra 'd Sassöl
tör muiéra me fiöl
per la féra 'd Sassöl
tör muiéra me fiöl

Per la féra 'd Sassöl
törla bela s'la tröv
per la féra 'd Sassöl
törla s-gnura s'la pöl
    ta rararà rararà ra ra ra ra rà
    ta rararà rararà ra ra ra ra rà
    ta rararà rararà ra ra ra ra rà

Per la féra 'd Sassöl
tör muiéra me fiöl
per la féra 'd Sassöl
tör muiéra me fiöl

per la féra 'd Sassöl
compreremo 'n sibiöl
per la féra 'd Sassöl
compreremo 'n sibiöl
    ta rararà, ecc.

Traduzione

Per la fiera di Sassuolo / prende moglie mio figlio / per la fiera di Sassuolo /
prende moglie mio figlio // per la fiera di Sassuolo / prendila bella se la trovi /
per la fiera di Sassuolo / prendila ricca se puoi

Per la fiera di Sassuolo / prende moglie mio figlio / per la fiera di Sassuolo /
prende moglie mio figlio // per la fiera di Sassuolo / compreremo un fischietto /
per la fiera di Sassuolo / compreremo un fischietto

9. SU DURU DURU
rima per far saltare i bambini sulle ginocchia
Nulvi, Sassari (Sardegna)

Du - ru   du - ru du - ru - ŝì - a   sas cam - pa - nas de chi -

-sgì - a   las toc - ca - na su man - za - nu   su pud - du ca - glia - ri -

-ta - nu   sa pi - ra cam - pi - da - ne - ŝa   can - do   su co - ro me

pe - ŝa'   ne lu i - do e ne lu toc - co   cria - ŝa a bar - rac - co - co

b'a - i - ad'in bin - za mi - a du - ru du - ru du - ru - ŝì - a

[da P. Sassu]

Duru duru duruŝìa
sas campanas de chisgìa

las toccana su manzanu
su puddu cagliaritanu
sa pira campidaneśa
cando su coro me peśa'
ne lu ido e ne lu tocco
criaśa a barraccoco
b'aiad'in binza mia
duru duru duruśìa

Traduzione

Duru duru durusia / le campane della chiesa / suonano al mattino / il pollo cagliaritano / la pera campidanese / quando il cuore si leva / né lo vedo né lo tocco / ciliegia e albicocca / che abbiamo nella mia vigna / duru duru durusia

Bibliografia

"Quaderni dell'ISSE", n. 2. Sassari, dicembre 1967   [m]
D. Carpitella, P. Sassu, L. Sole, *La musica sarda*, Milano-Sassari 1973   [m]
G. Ferraro, *Canti popolari in dialetto Logudorese*, Torino 1891
P. Moretti, *Poesia pop. sarda. Canti dell'Ogliastra*, Firenze 1958
E. Chironi, *La poesia pop. nel Nuorese*, in "Il Folklore Italiano", a. II, fasc. 2. marzo 1927

Discografia

* (Orig) La musica sarda, vol. 1
ALBATROS VPA 8150
(Orig)   *Southern Italy & the Islands* (CWLFPM, vol. XVI)
COL (USA) KL 5174

II
Canti rituali

Lungo lo svolgersi del calendario agricolo si colloca la scansione dei
momenti rituali tradizionali della civiltà contadina. Legati intrinseca-
mente al ciclo della natura che nasce, muore e rinasce, gli eventi rituali del mondo popolare sintetizzano lo stesso ciclo vitale dell'uomo
e quando sopravviene la cristianizzazione è lo svolgersi dell'esistenza
di Cristo che, sincretisticamente, si sovrappone, conservando gli antichi significati, al più antico periodizzare dei dodici mesi. Il cristiane-
simo agisce abbastanza profondamente sul modo di manifestarsi di
molti momenti rituali del calendario, ma elementi anteriori, anche
molto importanti, sopravvivono, consegnandoci alcuni riti nella loro
configurazione arcaica e anche quelli più cristianizzati sono quasi sempre segnati da caratteri pre-cristiani. Questa permanenza dimostra
quale importanza abbiano, nella cultura orale/tradizionale, gli eventi rituali del calendario e quanto profonde siano le radici di questa
ritualità nel terreno della civiltà contadina (e forse, in alcuni casi,
pre-contadina). Certo i riti calendariali sono oggi in profonda crisi e
anche là dove permangono hanno quasi sempre subito trasformazioni profonde. Ma pur nella loro connotazione contemporanea questi
eventi hanno un valore primario per conoscere la cultura popolare e
per "leggere" più correttamente anche altre manifestazioni tradizionali.
  Il calendario agricolo tradizionale, oggi defunzionalizzato, può essere suddiviso nella seguente periodizzazione di massima:
a) Ciclo del solstizio d'inverno (Natale, Santo Stefano, Capodanno,
   Epifania) (canti nn. 11/19)
   In questo ciclo può essere collocato, come festa rituale d'apertura
   dell'inverno, San Martino (11 novembre) (canto n. 10)

b) Festa di Sant'Antonio Abate (17 gennaio) (canto n. 20)

c) Ciclo Carnevale/Quaresima (canti nn. 21/22)

d) Ciclo della Settimana Santa (canti n. 23/25)

e) Festa di Maggio (canti n. 26/28)

f) Feste dell'estate (San Giovanni, 24 giugno; Madonna d'agosto, 15 agosto; ecc.)

Nella scansione rituale del calendario si collocano anche le feste patronali e le feste dei vari santuari.

Accanto ai riti calendariali vi sono poi i riti domestici, ancor più di quelli connessi al ciclo dell'anno profondamente toccati e annientati dalle trasformazioni socio-economiche conseguenti la rivoluzione industriale. Sono riti domestici quelli dedicati alla nascita, al battesimo, al fidanzamento, alle nozze, alla morte e alle altre occasioni della vita individuale, familiare e anche comunitaria.

Nella nostra raccolta sono esempi di canti rituali domestici i testi nn. 29/31.

10. VIVA VIVA SAN MARTINO

canto di questua per S. Martino (11 novembre)
Chioggia, Venezia (Veneto)

In Italia la pratica della questua rituale per la festa di S. Martino (11 novembre) non sembra aver avuto neppure in passato una larga e consistente presenza. L'area dove questo rito sembra aver trovato maggior diffusione è quella nord-adriatica, dalla Romagna all'Istria.

San Martino nacque in Pannonia nella prima metà del IV secolo e morì in Francia, vescovo di Tours. Fu il primo confessore della fede ad essere proclamato santo. Il suo culto ha avuto grandissima importanza nell'Occidente cristiano fin dal Medioevo. Nella tradizione popolare San Martino è connesso al vino nuovo (« Per San Martin maroni rosti e nuovo vin », nel Veneto; « Per Sent Martin la castanhe e lo bon vin », Auvergne) e questa connessione ritorna anche nel canto che qui pubblichiamo. Secondo gli informatori a Chioggia la questua rituale avveniva, fino a una ventina d'anni fa, la sera della vigilia dell'11 novembre.

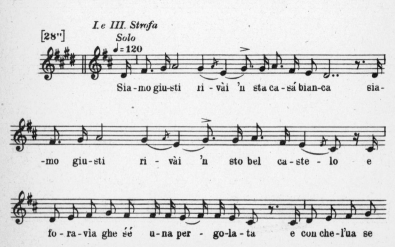

fa 'l vi mo - sca-te -lo   e col no - stro re di - vin. ___

[24"] *II. Strofa*

♩=76

Que-sta quà sè la pri - ma se - ra che bi - so - gna sta -

-re al fo - go   e i ma - ro - ni a la pa - del - la co'n boc-ca-

-le de dol - ce vi - no   e col no - stro re di - vin.

[15"] ♩=66

Coro: e - vi -   - va   e -

-vi -   - va   San Mar - ti - no.

Siamo giusti rivài 'n sta caśa bianca
siamo giusti rivài 'n sto bel castélo
e foravía ghe śé una pergolata
e con chel'ua se fa 'l vi moscatélo
    e col nostro re divin
     eviva eviva San Martino

Questa quà śé la prima sera
che biśogna stare al fogo
e i maroni a la padella
co'n boccale de dolce vino
    e col nostro re divin
     eviva eviva San Martino

E su vegnù a cantà a l'improviśo
il cuor mi trema quanto mai la foglia
e un giovane si tanto crudele
ma vedì a morir non m'è vegnù aiutare
    e col nostro re divin
     eviva eviva San Martino

Questo è il tempo de le arenghe
in mar i le piglia e assai ne vende
e i le vende a bon mercào
paron Giovanni quà n'à mandào
    e col nostro re divin
     eviva eviva San Martino

Traduzione

Siamo appena arrivati a questa casa bianca / siamo appena arrivati a questo bel castello / e davanti c'è un pergolato / e con quell'uva si fa il moscatello // e col nostro re divino / viva viva San Martino
Questa è la prima sera / che bisogna stare al fuoco / e i marroni nella padella / e un boccale di dolce vino // ecc.
E sono venuto a cantare improvvisando / il cuore mi trema come una foglia / e un giovane tanto crudele / mi ha visto morire e non è venuto ad aiutarmi // ecc.

Questo è il tempo delle aringhe / in mare le pigliamo e assai ne vendono / le vendono a buon mercato / è padron Giovanni che ci ha mandato qua // ecc.

Bibliografia

G. Radole, *Canti pop. istriani*, Firenze 1965   [m]
F. B. Pratella, *Etnofonia di Romagna*, Udine 1938   [m]

Discografia

* (Rev)   *Il calendario dei poveri* (canta Sandra Mantovani)
ALBATROS VPA 8144

11. SAN GIÜSEP E LA MADONA
carol natalizio
Cassago, Como (Lombardia)

Questo canto, nelle sue molte versioni, ha diffusione amplissima in Europa,[1] con presenza anche negli Stati Uniti. Il testo deriva dal cap. 20 del Vangelo apocrifo noto come pseudo-Matteo. In quel Vangelo leggiamo che il terzo giorno della fuga in Egitto, viaggiando nel deserto, Maria e Giuseppe si fermarono a riposare in un'oasi. Maria chiese a Giuseppe di raccoglierle dei datteri che erano su una palma, ma Giuseppe rispose che erano troppo in alto. Allora Gesù, che sedeva in grembo alla madre, ordinò alla palma di abbassarsi, fino a offrire i suoi frutti al braccio teso di Maria. Tradizionalmente questo è indicato come "il primo miracolo di Gesù". Sulla base del racconto pseudo-evangelico sono nate le molte versioni di questo canto. In alcune in luogo della fuga in Egitto abbiamo (come in questa lombarda che pubblichiamo) il viaggio verso Betlemme (nel qual caso il miracolo è compiuto da Gesú ancor prima della nascita [2]). Nei testi occidentali invece dei datteri si hanno altri frutti meno esotici, so-

[1] In Gran Bretagna (e negli USA) questo canto è generalmente conosciuto come *The Cherry Tree Carol* (Child 54).
[2] Nel testo qui pubblicato il miracolo è accennato nella strofa relativa alla fontana che si alza.

prattutto ciliege, o i frutti sono del tutto scomparsi (con sostituzione in fontana).

In Italia il canto è stato raccolto in Lombardia, nel Trentino e in Emilia. Forse un tempo era usato come canto di questua, ma già da molti anni, in Lombardia, era cantato andando alla messa di mezzanotte, la vigilia di Natale. Poi è passato nel repertorio di filanda.

San Giüśep e la Madona
i andaven vers a Betlèm
San Giüśep e la Madona
i andaven vers a Betlèm

Quan fu stati inanzi un tòco
la Madona la gh'éva sét   } 2

Andèm andèm verginella Maria
'na quai funtana la truvarèm   } 2

Quan fu stati inanzi un tòco
na funtana si l'ànno trovà   } 2

Bevì bevì verginella Maria
bevì de l'aqua finché vurì   } 2

La funtana la se alsava
la Madona la se sbasava   } 2

Quan fu stati inanzi un tòco
la Madona la gh'éva fam   } 2

Andèm andèm verginella Maria
che un quai po de pan el truvarèm   } 2

Quan fu stati inanzi un tòco
un prestinaio si l'ànno trovà   } 2

Mangì mangì verginella Maria
mangì del pã finché vurì   } 2

Quan fu stati inanzi un tòco
la Madona la gh'éva sògn   } 2

Andèm andèm verginella Maria
che na quai stala la truvarèm   } 2

Quan fu stati inanzi un tòco
una stalla si l'ànno truvà   } 2

Durmì durmì verginella Maria
durmì durmì finché vurì   } 2

San Giüśep el va de föra
a vedè se 'l gh'éra un quài ciar   } 2

El va de denter san Giüśep
el tröva li Geśü Bambin
el tröva li Geśü Bambin
senza la fasa e senza 'l cusìn

Col mantello della sua mamma
si gh'àn fa la fasa e'l cusìn
si gh'àn fa la fasa e'l cusìn
per fasà Geśü Bambin

Traduzione

San Giuseppe e la Madonna / se ne andavano verso Betlemme
Quando furono avanti un pezzo / la Madonna aveva sete
Andiamo andiamo verginella Maria / che una qualche fontana la troveremo
Quando furono avanti un pezzo / una fontana l'anno trovata
Bevete bevete verginella Maria / bevete dell'acqua finché volete
La fontana si alzava / la Madonna si abbassava
Quando furono avanti un pezzo / la Madonna aveva fame
Andiamo andiamo verginella Maria / che un qualche po' di pane lo troveremo
Quando furono avanti un pezzo / un panettiere l'hanno trovato
Mangiate mangiate verginella Maria / mangiate del pane finché volete
Quando furono avanti un pezzo / la Madonna aveva sonno
Andiamo andiamo verginella Maria / che una qualche stalla la troveremo
Quando furono avanti un pezzo / una stalla l'hanno trovata
Dormite dormite verginella Maria / dormite dormite finché volete
San Giuseppe va di fuori / a vedere se c'era qualche lume
Torna dentro san Giuseppe / trova lì Gesù Bambino / trova lì Gesù Bambino / senza la fascia e senza il cuscino
Con il mantello della sua mamma / gli hanno fatto la fascia e il cuscino / gli hanno fatto la fascia e il cuscino / per fasciare Gesù Bambino

Bibliografia

R. Leydi e A. Rossi, *Osservazioni sui canti religiosi non liturgici*, ecc., Milano 1965 [m]
A. Tiraboschi, *Usi di Natale nel Bergamasco*, Bergamo 1878
M. A. Spreafico, *Canti pop. di Brianza*, Varese 1959 [m]

Discografia

* (Rev) *Il calendario dei poveri* (cantano Sandra Mantovani e Bruno Pianta) ALBATROS VPA 8144
(Orig) *Canti religiosi lombardi*
DdS DS 38 (17)
(Rev) *Santi del mio paese* (canta Sandra Mantovani)
DdS DS 16 (17)

12. VO GIRAND PER GLI OSTERIE
carol natalizio
Ripalta Nuova, Cremona (Lombardia)

Documento singolare e interessante di canto connesso alla Natività. Non è presente, per quanto ci risulta, in nessuna delle raccolte di canti popolari italiani a noi note. Il testo non è altro che la trasposizione in forma di "carol" di un gruppo di scene della più nota e popolare fra le rappresentazioni popolari natalizie del Piemonte, quella comunemente detta del pastore Gelindo. L'incontro del pastore Gelindo con Giuseppe e Maria in viaggio verso Betlemme è esposto nell'atto I, scene V, VI e VII di *Il Pastore Gelindo, ossia la Natività di Gesù Cristo e la strage degli innocenti,* nell'edizione di Novara del 1839 ("presso Enrico Crotti libraio editore"). In altre edizioni posteriori si hanno mutamenti nella collocazione delle scene, ma l'episodio comunque ricorre sostanzialmente uguale.[1]

Il canto, così com'è stato raccolto a Ripalta Nuova, si presenta quasi sicuramente incompleto e deteriorato, ma non per questo è minore il suo interesse.

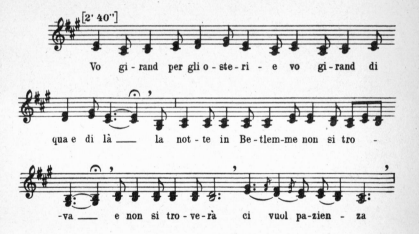

Vo gi-rand per gli o-ste-ri-e vo gi-rand di qua e di là ___ la not-te in Be-tlem-me non si tro-va ___ e non si tro-ve-rà ci vuol pa-zien-za

[1] Sul *Gelindo* si vedano: C. Nigra e D. Orsi, *Il Natale in Canavese,* Torino 1894 e: R. Renier, *Il "Gelindo", Dramma sacro piemontese della Natività di Cristo,* Torino 1896. Il *Gelindo* è ancora ampiamente ricordato in Piemonte e annualmente rappresentato a Chiaverano (Canavese).

pa - zien - za san - ta___ sta - not - te an - dre - mo a ri - pu -

- sà sot que - la pian - ta.___ Si gh'è pa - sà di

la 'l pa - stor Ger - lin - do___ ve - de la buo - na gen -

- te mal - ve - sti - ta___ ve - ni - te a die - tro con

me spo - si - na ai bel - la io vi fa - rò in - se - gnà

na ca - pa - nel - la.___ E là c'è 'l bu - e e

l'a - si - nel - lo con del fie - no___ sta - re - te più

be - ne là che al ciel se - re - no.___ E

vi sa-lu-to bra-va gen-te e vi sa-lu-to di buon cuor ma di buon cuo — re voi mi sem-bra-te gen-te del Si-gno — re.— E'l ven-ti-quat-tro di di-cem-bre la Ma-ria la si sen-tì un gran do-lo — re — si gh'è na-sìt il no-stro Re-den-to — re.

Vo girand per gli [1] osterie
vo girand di qua e di là
la notte in Betlemme non si trova
e non si troverà – ci vuol pazienza
pazienza santa
stanotte andremo a ripùsà
sot quela pianta [2]

Si gh'è pasà di là 'l pastor Gerlindo [3]

[1] le
[2] sotto quella pianta
[3] si è passato di là il pastore Ge(r)lindo

vede la buona gente mal vestita
– venite a dietro con me sposina aibella
io vi farò insegnà na capanella

E là c'è 'l bue e l'asinello
con del fieno
starete più bene là
che al ciel sereno –

E vi saluto brava gente
e vi saluto di buon cuor
ma di buon cuore
voi mi sembrate gente
del Signore

E'l ventiquattro di dicembre
la Maria si sentì
un gran dolore
si gh'è nasìt il nostro [1]
Redentore

Discografia
* (Orig) *Italia*, vol. 1
ALBATROS VPA 8082

13. SU PIZZINEDDU
canto natalizio
Orgosolo, Nuoro (Sardegna)

Le prime strofe di questo canto natalizio sono usate anche come ninna nanna.

[1] *si è nato il nostro*

Ce-le-ste te-śo-ro   d'e-ter-na al-le-gri - a

dor-mi vi-da e co - ro   ri-po-śa e nin-nì - a

dor-mi vi-da e co - ro

ri-po-śa e nin-nì - a   dor-mi vi-da e co - ro   ri-po-śa e nin - nì - a.

Su piz-zi-ned-du   nen por-ta man-ted - du   ne man-cu cu-rit - tu

in di - e de vrit-tu   no n'a-rà tit-tì - a

dor-mi vi-da e co - ro

ri-po-śa e nin-nì - a   dor-mi vi-da e co - ro   ri-po-śa e nin - nì - a.

Giu-śep-pe di-cio-su   a-giu-da a nin-nia-re   ca be-nin pro a-do-ra - re

* corona fino all'attacco del solo

su de-po-de-ro - śu   go-śas de sug-go - śu chi De-us nos in-vi - a

Coro

dor-mi vi-da e co - ro   ri-po-sa e nin-nì - a   dor-mi vi-da e co - ro

Solo

ri-po-sa e nin-nì - a   So re d'o-ri - en - te   cun gran-de de-co - ro in-

Coro

-cen-su mir-ra e o-ro a Ge-śù li do-ne - śi

ev-vi-va Ma-ri - a

e Ma-ri-a vi - va   ev-vi-va Ma-ri - a   e Ma-ri-a   vi - va.

Solo

Su ri - u Gior-da - no Giu-an-ne Bat-ti - sta __ cun sa su-a ma - nu a

Coro

Ge-śù bat-ti-ze - si

ev-vi-va Ma-ri - a   e Ma-ri-a vi - va

ev - vi - va Ma - ri - a   e Ma - ri - a   vi - va.

solo	Celeste tesoro d'eterna allegria
	dormi vida e coro riposa e ninnìa
coro	dormi vida e coro riposa e ninnìa
	dormi vida e coro riposa e ninnìa

solo	Su pizzineddu nen porta manteddu
	ne mancu curittu in die de vrittu
	no n'arà tittìa
coro	dormi vida e coro riposa e ninnìa
	dormi vida e coro riposa e ninnìa

solo	Giuseppe diciosu agiuda a ninniare
	ca benin pro adorare su re poderosu
	gosaas de suggosu chi Deus nos invìa
coro	dormi vida e coro riposa e ninnìa
	dormi vida e coro riposa e ninnìa

solo	So re d'oriente cun grande decoro
	incensu mirra e oro a Gesu li donesi
coro	evviva Maria e Maria viva
	evviva Maria e Maria viva

solo	Su riu Giordano Giuanne Battista
	cun sa sua manu a Gesu battizesi
coro	Evviva Maria e Maria viva
	evviva Maria e Maria viva

Traduzione

Celeste tesoro di eterna allegria / dormi vita e cuore riposa e ninnia / dormi vita ecc.

Il piccolino non ha panni / neanche corpetto nei giorni di freddo / e non rabbrividisce / dormi vita ecc.
Giuseppe contento aiuta a cullare / quelli che vengono ad adorare il suo re
potente / gioiscono dalla gioia che Dio ci manda / dormi vita ecc.
I re d'oriente con grande onore / incenso mirra e oro a Gesù hanno donato /
evviva Maria ecc.
Nel fiume Giordano Giovanni Battista / con la sua santa mano Gesù ha battezzato / evviva Maria ecc.

Bibliografia

G. Fara, *Canti di Sardegna*, Milano 1923   [m]

Discografia

* (Orig) *Italia*, vol. 1
ALBATROS VPA 8082

14. CANTO DI CAPODANNO
canto di questua per il capodanno
Mezzogoro, Ferrara (Emilia)

Nell'area del Delta del Po la pratica della questua rituale per il Capodanno si è conservata forse più a lungo che altrove, in Italia. Segnalata in molte regioni, questa pratica sembra aver oggi limitatissima
sopravvivenza.[1]

[1] Per un canto rituale di capodanno registrato a Orgosolo si veda il disco: *Le stagioni degli Anni '70* - DDS DS 508/10.

stel - le   che   nel   ciel   vi   ven - ga ap - pres - so

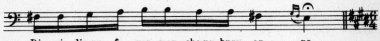

Dio   vi   dia un   fa - vor   e an - che un buon   an   -   no.

[26"]   *Coro*

Pa - dron   di ca-sa e la   vo - stra com - pa - gni - a   se

l'è   con - ten - to   quel che al cie - el   bra - ma - sti.

solo Padron di caśa e la compagnia
       se l'è contento quel che al ciel bramasti
       le stelle che nel ciel vi venga appresso [1]
       Dio vi dia un favor e anche un buon anno

coro Padron di caśa e la vostra compagnia
       se l'è contento quel che al ciel bramasti
       le stelle che nel ciel vi venga appresso
       Dio vi dia il favor che meritaste

       Ieri fu l'ultimo incò [2] 'l primo de l'anno
       vi prego in corteśia la buonamano [3]
       i tre re magi partiti dall'oriente
       venir a salutar Geśù Maria

[1] *le stelle che sono nel Cielo vi vengano vicine*
[2] *oggi*
[3] *vi prego in cortesia di darci la mancia*

con la sua santa celeste incompagnia
padron arrivederci e vado via

Bibliografia

P. Mazzucchi, *Vecchi canti pop. del Polesine*, Badia Polesine 1929
A. Cornoldi, *Ande, bali e cante del Veneto*, Padova 1968 [m]

Discografia

* (Rev) *Il calendario dei poveri* (cantano Bruno Pianta e Sandra Mantovani)
ALBATROS VPA 8144
(Orig) *Northern & Central Italy* (CWLFPM, vol. XV)
COL (USA) KL 5173

15. A ZENT'ANNI LI PADRONI
canto di questua per l'Epifania
Sassari (Sardegna)

In quasi tutte le regioni italiane vi è testimonianza dell'uso del "caroling" per la festa dell'Epifania (detta anche Pasquetta o Pasquella). Tra i canti di questua per l'Epifania si distinguono quattro gruppi principali di testi, tutti e quattro rappresentati nei documenti qui pubblicati (nn. 15-19):

a) Canti dedicati a ricordare o rievocare l'arrivo dei re magi. Questo gruppo ha prevalente presenza in area veneta, fino all'Istria da una parte, fino alla provincia di Brescia e alla Valtellina dall'altra (canto n. 19)

b) Canti della Pasquetta, dalla Romagna all'Abruzzo, attraverso le Marche e l'Umbria (canti nn. 16-17)

c) Canti dedicati alla Befana. Sono conosciuti soprattutto in Toscana (canto n. 18)

d) Gobbula sarda con testo augurale di questua (canto n. 15)

Il primo dei cinque testi appartiene al gruppo (d) e viene cantato sia per Capodanno che per l'Epifania. Propriamente è un canto (nel genere della "gobbula") che segna l'inizio del Carnevale.

[da P. Sassu]

A zent'anni li padroni
si zi daghedi cantà
un pattu vogliu fà
non ni vogliu iscì in gherra
noi andemmu terra terra
che li cristiani vibi
tanti inoghi e tanti inchibi
faba non ni li vuremmu
tutti li dinà chi femmu

li punimmu a occi e sori
cariga di don saori
dedizinni in cantiadi
un piattu a li leccai
a li chi pononi fattu
e a noi un bon piattu
di chissa cariga bona
a zent'anni la padrona

Traduzione

A cent'anni signori / se ci lasciate cantare / vi propongono un accordo / non voglio che si litighi / noi viviamo alla giornata / come vive ogni cristiano / uno qua e uno là / fave non ne accettiamo / i denari che raccogliamo / li facciamo circolare / fichi secchi saporiti / datecene in quantità / un piatto ai lacché / a quelli del seguito / ma a noi un buon piatto / di quelli scelti squisiti / a cent'anni signora

Bibliografia

P. Sassu, *La gòbbula sasserese nella tradizione orale e scritta*, Roma 1968   [m]
"Quaderni dell'ISSE", n. 2. Sassari, dicembre 1967   [m]
D. Carpitella, P. Sassu, L. Sole, *La musica sarda*, Milano-Sassari 1973   [m]

Discografia

Altre gòbbule sasaresi in:
(Orig) La musica sarda, vol. 1
ALBATROS VPA 8150
(Orig) La musica sarda, vol. 2
ALBATROS VPA 8151

16. CANTO DELLA PASQUETTA

canto di questua per l'Epifania
Ranchio di Romagna (Emilia-Romagna)

Sia - mo qua da voi __ si - gno - ri   sia - mo

qua a la vo-stra pre-sen-za   do-man-dar-vi — la li - cen-za di can-

-ta - re e di suo - na - re   con u - na dol-ce ar-mo -

-ni - a ———— buo-na Pa - squa il ciel vi — di - a.

Siamo qua da voi signori
siamo qua a la vostra preśenza
domandarvi una licenza
di cantare e di suonare
    con una dolce armonia
    buona Pasqua il ciel vi dia
    con una dolce armonia
    buona Pasqua il ciel vi dia

Nel principio del nostro canto
ringraziamo Geśù Bambino
del mistero sacro e santo
nel principio del nostro canto
    del mistero sacro santo
    nel principio del nostro canto   } 2

Si sapeva per profezia
che il Messia doveva venire
una stella doveva apparire
che giammai veduta sia
    che giammai veduta sia
    buona Pasqua il ciel vi dia   } 2

Fanciullini e dice il primo
siam venuti a qui bonora
perchè Cristo qui si adora
come il vero e 'l gran Messia
come il vero e 'l gran Messia
buona Pasqua il ciel vi dia   } 2

Bibliografia

F. B. Pratella, *Etnofonia di Romagna*, Udine 1938   [m]
G. Ginobili, *Canti popolareschi piceni*, 4ª raccolta, Macerata 1955; 5ª raccolta,
    ivi 1959   [m]

Discografia

* (Rev.)   *Il calendario dei poveri* (canta Sandra Mantovani)
ALBATROS VPA 8144

Un diverso canto romagnolo della Pasquetta in:
(Orig)   *Le stagioni degli Anni '70*
DDS DS 508/10

17.   E DOMANI È LA PASQUETTA
canto di questua per l'Epifania
L'Aquila (Abruzzo)

E do - ma - ni è la Pa - squet - ta si - a

san - ta e be - ne - det - ta   con gran fe - sta in al - le -

-gri - a buo - na Pa - squa e Be - fa - ni - a.

E domani è la Pasquetta
sia santa e benedetta
con gran festa in allegria
buona Pasqua e Befania
con gran festa in allegria
buona Pasqua e Befania

Questa sera la Befana
cala giù per il camino
in onor di Gesù Bambino
la Befana calerà   } 2

E scusate buona gente
se abbiam fatto malamente
un'altra volta faremo meglio
quando ritorna la Pasquarella   } 2

Bibliografia

Testi di questua per l'Epifania (o frammenti) sono citati in quasi tutte le raccolte di canti popolari abruzzesi.
Si veda, per esempio:
G. Finamore, *Credenze usi e costumi abruzzesi*, Palermo 1890

Discografia

* (Rev) *Santi del mio paese* (cantano Sandra Mantovani, Fausto Amodei e Michele Straniero)
DdS DS 16 (17)
* (Rev) *Le canzoni di "Bella ciao"* (cantano Giovanna Marini e Maria Teresa Bulciolu)
DdS DS 101/103

18. ECCO DONNE LA BEFANA
canto di questua per l'Epifania
Barga di Lucca (Toscana)

Ecco donne la Befana
non è quella de gli altr'anni
à mutato veste e panni
e s'è messa la barbantana [1]
    ecco donne la Befana

Se ce la volete dare [2]
non ci fate più aspettare
i compagni sono avanti
e la vogliono levare
    e la vogliono levare

Vi ringrazia la Befana
che l'avete favorita
Dio vi lasci lunga vita
buona gente state sana
    vi ringrazia la Befana

---

[1] *barbantana* è detta un'acconciatura dei capelli, rialzati, all'uso delle vecchie.
[2] S'intende l'offerta ai questuanti, la ricompensa per il canto e l'augurio.

Bibliografia

G. Giannini, *Canti pop. toscani*, Firenze 1925 (2ª ed.)
L. Neretti, *Fiorita di canti toscani*, vol. I, Firenze 1942   [m]
A. Bonaccorsi, *Il folklore musicale in Toscana*, Firenze 1956   [m]

Discografia

Per altri canti di questua dell'Epifania, toscani:
(Rev)   *La Toscana di Caterina* (canta Caterina Bueno)
TANK MTG 8010
(Rev) *Canzoniere toscano* (id)
CETRA LPP 217

19. LA STELLA
canto di questua per l'Epifania
Gallesano, Istria (Jugoslavia)

Noi sia-mo li   tre   re ____ d'o - ri - en - te

che   ab-biam vi - sto   la   gran ___ stel - la.

Noi siamo li tre re d'oriente
che abiam visto la gran stella
dalla qual porta novella
    ma del Signore

Abiam molto cavalcato
seguitando la gran stella
dall'oriente in questa terra
    la notte e il giorno

Noi andiamo ad adorare
Gesù Cristo al mondo nato
il quale fu chiamato
    re dei Giudei

Orsù dunque o miei fratelli
qui non dobbiam fermare
noi dobbiam seguitare
    la nostra via

O signori vi ringraziamo
delle grazie e dei favori
ed assieme col Signore
    la buona notte

Bibliografia

G. Radole, *Canti pop. istriani,* Firenze 1965   [m]
F. B. Pratella, *Primo documentario*, ecc., Udine 1941 (1° vol.) [m]
L. Lucchi, *Folklore natalizio del Basso Veronese: La Stella*, in "Lares", a. XXIII, fasc. 3/4, luglio-dicembre 1957 [m]
G. Zanettin, *160 canti pop. già in uso a Cembra (Trento)*, Milano 1966   [m]
A. Cornoldi, *Ande, bali e cante del Veneto*, Padova 1968 [m]
G. Sanga, I. e P. Sordi, "Il rito della stella nel Bresciano", in: R. Leydi, *Le trasformazioni socio-economiche e la cultura tradizionale in Lombardia*, Milano 1972 [m]
G. Tassoni, *Trad. pop. del Mantovano*, Firenze 1964
G. Faganello e A. Gorfer, *La valle dei Mocheni*, 1971

Discografia

Per una lezione lombarda:
(Orig) Disco allegato alla pubblicazione di R. Leydi, cit. in Bibl.

20. NEL DESERTO DELL'EGITTO

canto di questua per Sant'Antonio Abate (17 gennaio)
Cerqueto di Fano Adriano, Teramo (Abruzzo)

Forme rituali più o meno complesse (fino a strutture rappresentative abbastanza articolate) connesse alla celebrazione di Sant'Antonio Abate (o Sant'Antonio del porcello, dalla sua iconografia tradizionale) sono segnalate dalla letteratura folklorica italiana per quasi tutte le regioni del nostro paese, ma l'area dove questi riti sembrano aver avuto (e aver tutt'ora) piú larga presenza è quella incentrata sull'Abruzzo.

La forma più comune di celebrazione del rito è la questua, effettuata di casa in casa, con il canto della vita del santo, da gruppi di cantori e musicanti i quali ricevono, in compenso, vari doni, ma soprattutto prodotti della macellazione del maiale.[1]

È probabile che all'origine il culto di Sant'Antonio abbia avuto soprattutto presenza nella cultura pastorale e poi sia passato a quella agricola. In questo passaggio, il rituale avrebbe acquistato l'uso dei "fuochi", il cui scopo magico è di "riscaldare" la terra, in vista della rinascita primaverile. I "fuochi" per Sant'Antonio sono accesi ancor oggi fino alle porte di Milano.

Il canto che qui pubblichiamo è quello più usato, oggi (con varianti), nelle questue rituali che ancora si effettuano, il 17 gennaio, in alcune località abruzzesi.

Nel de-ser-to del - l'E-git-to noi re-
-mi-ti men-di-can-ti noi ve-nia-mo coi sa-cri
can-ti d'un gran san-to d'un gran san-to a ce-le-brar.

[1] Secondo Atanasio, Antonio Abate sarebbe vissuto centocinque anni, dal 251 al 356. Avrebbe trascorso la maggior parte della sua lunga vita in un eremo sul fiume Nilo. Nella tradizione abruzzese, Sant'Antonio è detto "di jennare" (di gennaio), o "de la

Nel deśerto dell'Egitto
noi remiti mendicanti
noi veniamo coi sacri canti
    d'un gran santo
d'un gran santo a celebrar

Vi cantiamo la santa vita
dell'eccels'Antonio Abate
le corteśe a noi mostrate [1]
    belle donne
belle donne il vostro cor

Ricco e nobile naque Antonio
disprezzò le sue ricchezze
nonostante le dolcezze
    tutt'a Dio
tutt'a Dio si consacrò

Ripartito il patrimonio
donò parte a sua sorella
ch'è devota figlia e bella
    tutt'a Dio
tutt'a Dio si consacrò

E quel povero eremita
si rinchiuśe nel deśerto
giovinetto poco esperto
    per amore
per amor del buon Geśù

Fé di l'erba scarso pane

---

varve" (dalla barba), o "di lu campanelle" (dal campanello), o "di lu purcelle" (dal porcello). Spesso, però, viene confuso con Sant'Antonio da Padova e l'immagine del giglio, propria dell'iconografia del santo portoghese, ricorre in più d'un canto in realtà dedicato a Sant'Antonio Abate.
[1] Il significato è: " Belle donne mostratevi cortesi e dimostrateci quant'è generoso il vostro cuore ».

fu la mensa sua gradita
fu cent'anni e cinque in vita
    nei rigori
nei rigor di povertà

Vedi tu che presto siamo
dà la mano al tuo nemico
fatti presto a farti amico
    per quel Dio
per quel Dio che ci salvò

Fu eseguito senza stono
in raffronto al nostro canto
viva sempre Antonio santo
    cośe buone
cośe buone in quantità

Ci darete voi signori
ricompensa al nostro canto
viva sempre Antonio santo
    cośe buone
cośe buone in quantità

Bibliografia

P. D. Lupinetti, *Sant'Antonio Abate nelle tradizioni e nei canti pop. abruzzesi*, in: "Lares", a. XVII, fasc. 1/4, gennaio-dicembre 1951 [m]

Discografia

* (Orig) *Italia*, vol. 1
ALBATROS VPA 8082
Per altri canti dedicati a Sant'Antonio Abate:
(Orig) *Canti religiosi abruzzesi*
DdS DS 39 (17)
(Rev) *Le canzoni di "Bella ciao"* (cantano Giovanna Marini e coro)
DdS DS 101/103

Per una formula dei fuochi per Sant'Antonio, in Lombardia:
(Orig) disco allegato a: R. Leydi, *Le trasformazioni socio-economiche e la cultura tradizionale in Lombardia*, Milano 1972

21. LE VIOIRE
canto carnevalesco di veglia
Loranzé, Torino (Piemonte)

Questi canti a dialogo sono legati alla pratica rituale, oggi definitiva-
mente perduta ma un tempo largamente presente in Canavese, delle "veglie" nelle stalle, durante l'inverno (*vioire* significa veglianti).
La sera le famiglie contadine si raccoglievano, dopo cena, nella stalla
(unico locale veramente riscaldato della casa, in virtù del calore ani-
male delle mucche) e lì si parlava, si raccontavano storie (per lo più
paurose e fantastiche), si cantava, si riceveva. Le stalle più grandi
erano meta di visite di vicini e quelle in cui si trovavano ragazze da
marito di visite dei giovanotti. I gruppi di giovani si presentavano
innanzi la porta della stalla e chiedevano il permesso di entrare in-
tonando appunto questi canti. E dall'interno si rispondeva cantando.
Al termine del canto i giovani potevano entrare nella stalla. L'uso di
"cantar Martina" (canté Martina) è sopravvissuto in alcuni paesi
del Canavese fino alla seconda guerra mondiale, ma nella maggior
parte dei luoghi è testimoniato non oltre gli Anni Venti.

Le vioire erano cantate tutto l'inverno, ma nel periodo di carnevale l'uso era più frequente (e la versione di Loranzé qui pubblicata
fa riferimento esplicito al carnevale). Anche in occasione delle cosiddette "sinhe crinoire" o "sinhe purcatoire" (le cene che si tene-
vano in occasione dell'uccisione del maiale / *crin* e *purchèt* significa-
no appunto maiale) si praticava l'uso di "canté Martina". Va però ricordato che il periodo più consueto per l'uccisione del maiale è quello coincidente o prossimo al carnevale.

La pratica di "cantar Martina" non è però esclusivamente canavesana (anche se in Canavese ha avuto forse più larga diffusione e più
lunga permanenza), come testimoniano le varie versioni non piemontesi della canzone generalmente nota, dal titolo datole dai raccoglitori dell'800, come *La canzone del cappello* o *Martino e Marianna*.
Questa canzone altro non è, all'origine, che una "vioira" assai vicina
a quelle canavesane.

[44"] I. Tema

E bu - na sèi - ra vi - òi - re

dol - ce mio be - en e bu - na sèi -

- ra ___ ca - ro mio be - ne e bu-na sèi-ra bu-

- na sèi-ra vi - ò - i - re vi - ò - i - re.

[27"] II. Tema

E pur-te - lu pür a - van - ti oi che bel pia - cer sa-

- rà pro - ve - re - mo e tut-ti in - sie - me u - na

Lento

gran-de fe - li - ci - tà bu - na sèi - ra.

[*fuori*]	Buna sèira viòire
	dolce mio ben
	buna sèira caro mio ben
	buna sèira
	buna sèira viòire – viòire
[*dentro*]	E chi iélu lì di fora
	dolce mio ben
	chi iélu lì caro mio ben
	chi iélu lì
	chi iélu lì di fora – di fora [1]
[*fuori*]	Sa ié Martin madona
[*dentro*]	E nte tsé stàit Martini [2]
[*fuori*]	A la fèira madòna
[*dentro*]	Co 't las purtà Martini
[*fuori*]	L'è un mazzolin di fiori
[*dentro*]	A chi 't vö ti dunèilo
[*fuori*]	Sa l'è 'l padrun d'la sala
[*dentro*]	Chi l'è 'l padrun d'la sala
[*fuori*]	Sa l'è 'l pariùr d'la festa
[*dentro*]	E chi l'è 'l pariùr d'la festa
[*fuori*]	E sa l'è... [3]
[*dentro*]	E purtelo pür' avanti
	oi che bel piacer sarà
	proveremo e tutti insieme
	una grande felicità – buna sèira [4]
[*fuori*]	E dürbìne l'üs o viòire [5]
[*dentro*]	L'üs l'è duèrt Martini

[1] Le strofe che seguono hanno la medesima struttura delle prime due, alternativamente.
[2] Martini, al plurale perché, così hanno spiegato gli informatori, più d'uno erano i giovani che chiedevano d'entrare nella stalla.
[3] Veniva messo il nome della persona più anziana o importante presente nella stalla.
[4] Qui si ha il cambio della melodia. Questo cambio può naturalmente avvenire in qualsiasi punto del canto. Questo cambio avveniva per iniziativa di quanti erano nella stalla, con l'intento di far sbagliare quelli fuori (i quali dovevano rispondere con la musica proposta da quelli dentro) e prolungare la loro permanenza al freddo.
[5] Riprende lo schema e la melodia delle strofe precedenti.

Traduzione

Buona sera veglianti / dolce mio bene / buona sera caro mio bene / buona sera / buona sera veglianti – veglianti
E chi c'è lì fuori
C'è Martino madonna
Dove sei stato Martini
A la fiera madonna
Che cosa hai portato Martini
Un mazzolin di fiori
A chi vuoi donarlo Martini
Al padrone della sala
Chi è il padrone della sala
È il priore della festa
E chi è il priore della festa
È...
E portatelo pure avanti
Apriteci l'uscio o veglianti
L'uscio è aperto Martini

Bibliografia

A. Vigliermo, *Canti pop. noti nell'Alto Canavese*, Ivrea 1971   [m]
C. Nigra, *Canti pop. del Piemonte*, Torino 1888
L. Sinigaglia, *24 Vecchie canzoni pop. del Piemonte*, Milano 1956   [m]
A. De Gubernatis, *Storia universale della letteratura*, vol. IV, serie IV (Florilegio lirico: Lirica popolare)

Per la canzone di *Martino e Marianna,* o "del cappello", fuori del Piemonte si possono vedere, fra le raccolte con musica:
F. B. Pratella, *Primo documentario*, ecc., (vol. 1 e 2) Udine 1941   [m]
M. Spreafico, *Canti pop. di Brianza*, Varese 1956   [m]

Discografia

* (Orig)   *Il Canavese*
ALBATROS VPA 8146

22. LA CANSUN BÜSIARDA
canto carnevalesco ("il mondo alla rovescia")
Piedicavallo, Vercelli (Piemonte)

Il filone delle canzoni "alla rovescia" e delle canzoni "bugiarde" corre attraverso tutta la cultura popolare del nostro occidente, con radici profonde in una concezione magica, nell'ambito più ampio della visione del "mondo alla rovescia".[1] Nell'uso piemontese la "cansun büsíarda" è prevalentemente connessa al periodo carnevalesco.

---

[1] Si veda: G. Cocchiara, *Il mondo alla rovescia*, Torino 1963.

Mi vöi cantévi 'na cansun
mi vöi cantévi 'na cansun
ma una cansun büśiarda
  larì tai tuc tai tuc tai tuc
  gnau gnau gnau gnau
ma una cansun büśiarda

Pasà sut a un pumèr
pasà sut a un pumèr
sa iéra carià 'd siùli
  lari tai tuc tai tuc tai tuc
  gnau gnau gnau gnau
sa iéra carià 'd siùli

Padrun sut al cartun
padrun sut al cartun
e i müi ca füatàu
  lari tai tuc tai tuc tai tuc
  gnau gnau gnau gnau
e i müi ca füatàu

Un gat l'à fat tri öv
un gat l'à fat tri öv
s'la punta d'na nuśéa
  lari tai tuc tai tuc tai tuc
  gnau gnau gnau gnau
s'la punta d'na nuśéa

E dentro a custi öv
e dentro a custi öv
sa iéra tre quatr prèivi
    lari tai tuc tai tuc tai tuc
     gnau gnau gnau gnau
sa iéra tre quatr prèivi

E i prèivi in tel pursil
e i prèivi in tel pursil
e i crin cantavu messa
    lari tai tuc tai tuc tai tuc
     gnau gnau gnau gnau
e i crin cantavu messa

E i ciòchi iéra ad bür
e i ciòchi iéra ad bür
e le corde 'd sausissëtta
    lari tai tuc tai tuc tai tuc
     gnau gnau gnau gnau
e le corde 'd sausissëtta

Traduzione

Voglio cantarvi / una canzone bugiarda // Sono passato sotto un pometo / era carico di cipolle // Padrone sotto le stanghe (sotto il carro) / e i muli schioccavano la frusta // Un gatto ha fatto tre uova / sulla punta di una noce // E dentro a queste uova / c'erano tre o quattro preti // I preti nel porcile / e i maiali cantavano messa // Le campane erano di burro / e le corde di salsiccetta

Discografia

* (Rev) *Il calendario dei poveri* (canta Bruno Pianta)
ALBATROS VPA 8144
(Orig) *Il Canavese*
ALBATROS VPA 8146

23. L'OROLOGIO DELLA PASSIONE
canto di questua per la Settimana santa
Cerqueto di Fano Adriano, Teramo (Abruzzo)

Tra i molti canti, processionali o di questua, legati ai riti della Settimana santa (parecchi dei quali ancora segnati da significati pagani antecedenti la cristianizzazione) notevole diffusione nell'Italia centrale e centro-meridionale ha quello generalmente pubblicato con il titolo di *Orologio della Passione*. Il nome gli deriva dal fatto che il testo ripercorre ora per ora la sequenza degli eventi che portano alla crocefissione e poi alla resurrezione di Cristo.

L'*Orologio della Passione* è stato molto raccolto, in testi più o meno dialettali. Preferiamo qui pubblicare una versione in italiano, quasi sicuramente derivata da una edizione a stampa diffusa dalla tipografia Salani di Firenze, sulla fine del secolo scorso (in libretto), perché ancora in uso.

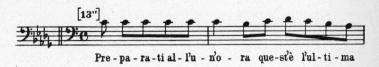

Pre - pa - ra - ti al - l'u - n'o - ra que-st'è l'ul - ti - ma

ce - na   e con fac-cia se - re - na co-sì Ge-sù par - lò

Prepàrati all'un'ora
quest'è l'ultima cena
e con faccia serena
così Gesù parlò
e con faccia serena
così Gesù parlò

Disse sarò tradito
disse sarò negato
e Giuda disperato
rispóse io non sarò   } 2

Alle tre i sacramenti
istituisce allor
e a lor tutti contenti
'l suo corpo dispensò   } 2

Alle quattro si mosse
con grande compassion
alle cinque nell'orto
il buon Gesù andò   } 2

Alle sei il Padre Eterno
dal re dei cieli andò
alle sette nell'orto
la turba lo menò   } 2

Alle otto una guanciata [1]
al buon Gesù toccò
alle nove schiaffeggiato
allor Giuda si turbò   } 2

Alle dieci carcerato
il buon Gesù andò
quando che fu accusato
suonava l'undicior   } 2

Alle dodici Pilato
le mani si lavò
alle tredici di bianco
vestiro 'l salvator   } 2

Alle tredici di bianco
vestiro 'l salvator
con una canna in mano
per dargli più dolor   } 2

---

[1] *schiaffo*

Coronato di spine
fu alle quindicior
dalle tempie divine
il sangue suo versò } 2

Legato alla colonna
fu alle sedicior
battuto e flagellato
per Dio fu un gran dolor } 2

Alle diciassettore
la penna sua adoprò
per la brutta sentenza
che al buon Gesù toccò } 2

I chiodi e i martelli
per lui si preparò
in croce il redentore
all'or diciotto andò } 2

Alle diciannovore
testamento donò
Gesù pieno d'amore
Giovanni a sé chiamò } 2

Alle venti da bere
chiedeva il salvator
gustando aceto e fiele
solo per 'l peccator } 2

Suonando le ventuno
la testa sua chinò
quell'alma santa e pura
all'eterno padre andò } 2

Alle ventidueore
la lancia lo passò

con ferro e con parole
la costola gli piagò   } 2

Alle ventitréore
di croce lo levò
Maria con gran dolore
in braccio lo pigliò   } 2

Alle ventiquattrore
Gesù al sepolcro andò
solo per nostro amore
e a tutti ci salvò   } 2

Di sette giorni intanto
Gesù risuscitò
con gloria festa e canto
all'eterno padre andò   } 2

Bibliografia

P. D. Lupinetti, *La Sanda Passijone*, Lanciano 1954
G. Nataletti e G. Petrassi, *Canti della campagna romana*, Milano 1930   [m]
M. P. Giardini, *L'Orologio della Passione,* in "Lares", a. XXXII, fasc. 1/2,
    gennaio-giugno 1966
L. De Angelis, *Canti della terra picena,* in: ARSTP a. XVI 1941   [m]

Per una lezione settentrionale:
M. A. Spreafico, *Canti pop. di Brianza*, Varese 1956

Per una lezione siciliana:
G. Pitrè, *Canti pop. siciliani*, Roma 1941 (vol. 2)

Discografia

* (Orig) *Italia*, vol 1
ALBATROS VPA 8082

Per altri canti della Passione e della Settimana santa, differenti da questo e
dagli altri qui pubblicati (nn. 24/25):
(Orig) *Southern Italy & the Islands* (CWLFPM, vol. XVI)
COL (USA) KL 5174
(Orig) *Le stagioni degli Anni 70*
DDS DS 508/513

(Orig) *Italia*, vol. 1
ALBATROS VPA 8082
(Orig) *Italia*, vol. 3
ALBATROS VPA 8126
(Orig) *Il Canavese*
ALBATROS VPA 8146
(Orig) *Canti pop. siciliani*
ANGELICUM BIM 24
(Orig) *Canti religiosi lombardi*
DDS·DS 38 (17)
(Rev) *Il calendario dei poveri* (cantano Sandra Mantovani e Bruno Pianta)
ALBATROS VPA 8144
(Orig) *Sicily in Song & Music*
ARGO DA 30

24. MADRE MARIA ANDAVA PER UNA VIA
canto della Passione
Cologno al Serio, Bergamo (Lombardia)

.Questo canto appartiene a quel gruppo di Passioni soprattutto diffuse nell'Italia centrale e centro-meridionale che Paolo Toschi denominò "Passione Italia Centrale I". Accanto ai numerosi testi centrali e centro-meridionali già noti pubblichiamo un'interessante e rara versione settentrionale, entrata anche a far parte del repertorio di filanda.

Ma-dre Ma-ri-a an-da-va per u-na vi-a
so-la e so-let-ta e sen-sa la com-pa-gni-a.

* Il numero dei *re* ribattuti dipende dal numero delle sillabe di ciascun verso.

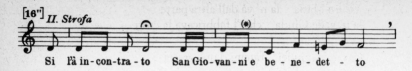

* v. pag. prec.

Madre Maria   andava per una via
sola e soletta   e sensa la compagnia

Si l'à incontrato   San Giovanni e benedètto
non avete visto   il mio figliolo dilètto

Si che l'ò visto   poi anche l'ò accompagnato
i sette ladroni   si me l'ànno rubato

Me l'ànno rubato   il giovedì santo
al venerdì santo   me l'àn mettüto in croce

Madre Maria   va a la porta dei giudei
la n' prende un sasso   poi la si mette a picchiare

Vien di fuora Giuda   con rabbia e gelosïa
chi l'è che batte   alla porta mia

Son madre Maria   che cerca il suo figliuolo
son madre Maria   che cerca il suo figliuolo

Da questa parte   non vi apriremo
passate dall'altra parte   che là si vi apriremo

Madre Maria   la n' và dall'altra parte
la n' vede Giuda   che 'l fabbricava la croce

Cari miei giudei   fatemi d'una grasia
lasciatemi vedere   quei quattro chiodi

Due di ferro   e due di assale [1]
questa è la grasia   che vi posso fare

Madre Maria   nel sentir quelle parole
la casca a terra   morta dal gran dolore

Vien di fuora san Giovanni   ma per aiutarla
vien di fuora Giuda   per ischiafegiarla

Se fosti un uomo   anche voi madre Maria
in croce col vostro divin figliolo   o si vi mettería

Di la mia vita   fate quel che volete
ma il mio caro figliolo   non voi che me lo tocchete

Bibliografia

R. Leydi e A. Rossi, *Osservazioni sui canti religiosi non liturgici*, ecc., Milano
   1965 [m]
M. A. Spreafico, *Canti pop. di Brianza*, Varese 1959
R. Partini, "Elementi e sviluppi del canto pop.", in *Atti del 3° Congresso Arti
e Trad. Pop.*, Roma 1938
P. Toschi, *Poesia popolare religiosa in Italia*, Firenze 1935

Discografia

* (Orig) *Canti religiosi lombardi*
Dds DS 38 (17)

Per una lezione abruzzese:
(Orig) *Canti religiosi abruzzesi*
Dds DS 39 (17)

[1] *acciaio*

25. SANTA CRUCIDDA

canto della Passione
Ribera, Agrigento (Sicilia)

San - ta ___ Cru - cid - da   vi

ve - gn'a vi - di - - ri ___

chi - na ___ di san - gu   vi

tro - - v'al - la - ga - - tu.

Santa Crucidda vi vegn'a vidiri
china di sangu vi trov'allagatu

Chi fa chidd'omu chi vinni a muriri
fu Gesù Cristu c'appi o la lanciata

E li prifetta lu ièru a vidiri
lu dísseru a Maria l'addulurata

Ora c'aviti lu custatu apertu
ncurunateddu di spini 'n croci e mortu

Traduzione

Santa Croce vi venni a vedere / piena di sangue vi trovo allagata

Chi fu quest'uomo che qui venne a morire / fu Gesù Cristo che ebbe la lanciata
E i profeti andarono a vederlo / lo dissero a Maria l'addolorata
Ora che avete il costato aperto / incoronato di spini in croce e morto

Bibliografia

G. Pitrè, *Canti pop. siciliani*, Roma 1941 (vol. 2)

26. MAGGIO DELLE RAGAZZE
maggio serenata
Riolunato, Modena (Emilia-Romagna)

La pratica di celebrare il primo giorno di maggio (o il periodo attorno a quella data) con manifestazioni rituali di vario genere è ancor oggi diffusa in tutta Europa, segno dell'importanza dell'evento e della profondità delle sue radici nella civiltà popolare. La festa socialista del Primo Maggio, che è nata alla fine del secolo scorso e nel volgere di pochi anni ha trovato generale diffusione, può esser vista come una rifunzionalizzazione moderna dell'antico rito del maggio contadino.

I riti primaverili del maggio si realizzano, in Europa, con a) l'offerta di rami e fiori; b) l'elezione della "regina di maggio" o della "sposa di maggio"; c) l'offerta di uova (da cui il nostro uovo di Pasqua di cioccolato e di produzione industriale); d) l'innalzamento dell'albero e la danza attorno ad esso; e) la questua; f) la rappresentazione di un evento teatrale. Questi elementi ricorrono da soli o variamente combinati e sovrapposti nei vari rituali di maggio.

In Italia l'area dove più integra sopravvive oggi la tradizione del maggio comprende la Toscana settentrionale e l'Appennino emiliano (province di Piacenza, Reggio e Modena). Qui è in uso ancora il maggio nelle sue varie forme (maggio di questua, maggio serenata, maggio drammatico). Il maggio serenata è un maggio di questua, ma specificatamente destinato alle ragazze da marito.

Appunto maggio serenata è questo di Riolunato, che si celebra nella notte che va dal 30 aprile al 1 maggio. I maggianti vanno di casa in casa dove ci sono ragazze e intonano, sotto le finestre, il canto, ricevendone i soliti doni.

Molto interessante è il testo di questo maggio serenata perché lo troviamo pubblicato ne *I Freschi della Villa* di Giulio Cesare Croce, l'autore del *Bertoldo*, pubblicati a Bologna nel 1612. La composizione ha per titolo: *Canzone da cantarsi per le fanciulle nell'entrata del bel mese di maggio sull'aria di "A piè d'un colle adorno"*.

per am - ba-scia - to - re in-nan-zi a voi ___ ma-
vo-stro ca-ro a-mo-re ___ per lui io can-to per

-gni - fi - ca don-źel - la
lu - i io ò fa - vel - la.

Il solo è cantato lento e ritmicamente molto libero, il ritornello del violino e il coro sono invece veloci e ben ritmati.

Maggio

Ecco il ridente maggio
ecco quel nobil meśe
che viene a dare impreśe
  ai nostri cuori
che viene a dare impreśe
  ai nostri cuori

È carico di fiori
di rośe e di viole
riluce come il sole
  ogni riviera } 2

Ecco la primavera
ecco il tempo novello
tornar che più mai bello
  e più giocondo } 2

Ecco che tutto il mondo
si riempie d'allegrezza
di gaudio e di dolcezza
  e di speranza } 2

E va per ogni stanza

la vaga rondinella
in questa parte o in quella $\Big\}$ 2
    a fare il nido

Il fanciullin Cupido
che per noi spiega l'ali
con arte tien gli strali $\Big\}$ 2
    e le saette

E in ordine si mette
per salutar le ninfe
per salutar le ninfe $\Big\}$ 2
    e vari augelli

Ecco li pastorelli
coi loro fidi cani
intorno alle campagne $\Big\}$ 2
    e lungo i campi

Eccoci tutti quanti
col bel maggio fiorito
che a noi fa dolce invito $\Big\}$ 2
    a far ritorno

Ambasciata (serenata)

Io son venuto per ambasiatore
innanzi a voi magnifica donzella
qui mi à mandato il vostro caro amore
per lui io canto per lui ò una favella
qui mi à mandato in vostro caro aiuto
per lui io parlo e per lui io vi saluto

E vi saluto tante volte tante
quante ne può pensar la vostra mente
ei v'ama tanto che struggere si sente
or tocca a voi ad essere costante

quale speranza in cor più nutrirete
se non d'amor e or amar lui dovete

Rispetti [1]

A   Gentil signore a lei del lieto maggio
veniamo ad augurar i giorni belli
e quanto prima il sol col suo raggio
saluterà la natura i fiori e gli augelli

Una bella primavera auguriamo
a lei signora Lina e salutiamo
e vi salutiamo di tutto cuore che fra loro
regni sempre concordia e amore

B   Ecco la notte della speme viva
che dà allegrezza e riempie i cuori
assieme a noi ne vien tutta giuliva
la primavera carica di fiori
noi tutti di cuor vi salutiamo
vi diam la buonanotte e ce ne andiamo

C   E siam nunzi di un bel mese fiorito
il maggio che ritorna a ringiovanire il cuore
e la rosa ci viene a fare invito
ad amare col cuore pien d'ardore
e in questa fragranza di vaniglia
noi salutiamo voi e la famiglia

Bibliografia

S. Fontana, *Il Maggio*, Firenze 1964   [m]

---

[1] A differenza del Maggio e dell'Ambasciata che vengono ripetuti uguali ogni anno, i Rispetti variano, adattati alle differenti circostanze, d'anno in anno. Questi che pubblichiamo furono cantati l'anno 1957, dedicati ai coniugi Umeton (A), a Luigi Fivizzani (B) e a Francesco Pini (C).

Discografia

* (Orig) *Northern & Central Italy* (CWLFPM, vol XV)
COL (USA) KL 5173
* (Orig) *Le stagioni degli Anni '70*
DDS DS 508/10

Per esempi di maggi drammatici:
(Orig) *Northern & Central Italy* (CWLFPM, vol XV)
COL (USA) KL 5173
(Orig) *I Maggi della Bismantova*
ARCHSON SDL AS 1/2
(Orig) *Italia*, vol. 2
ALBATROS VPA 8088

Per un altro Maggio di Riolunato ("Maggio delle Anime purganti"):
(Orig) *Le stagioni degli Anni '70*
DDS DS 508/10

27. MAGGIO DI COGORNO
maggio di questua
Cogorno, Genova (Liguria)

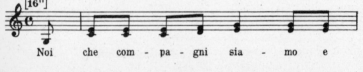

Noi   che com - pa - gni sia - mo   e

per il mon-do an-dia - mo   mag - gio can-tar vo - glia - mo.

Noi che compagni siamo
e per il mondo andiamo
maggio cantar vogliamo

Benvenuto maggio
capo di primavera
di ogni stagion primiera

Noi ce ne andiamo
su per il Biśagno
    fiorite son le rośe

E la rondinella
che in cielo sta volando
    maggio è qui cantando

E il rośignolo
che canta notte e giorno
    maggio è qui d'intorno

Dio ve lo mandi
un bel figlio maschio
    dategli moglie e cavallo

Dio ve lo mandi
e Dio ve lo allevi
    che sia un buon cavaliere

Da questa caśa
noi ce ne andiamo
    a un'altra caśa andiamo

Noi ce ne andiamo
e in pace vi lasciamo
    arrivederci un altr'anno

Bibliografia

A. Capurro, *Appunti sul maggio nel territorio di Chiavari*, in "Lares", a.X, fasc. 2, 1939 [m]

Discografia

*(Rev) *Il calendario dei poveri* (cantano Sandra Mantovani e Bruno Pianta) ALBATROS VPA 8144

Per altri canti del Maggio:
(Orig) *Le stagioni degli Anni '70*
DDS DS 508/10

(Rev) La Brunettina (canta Caterina Bueno)
DDS DS 22 (17)
(Rev) *La veglia* (id.)
DDS DS 155/57 CL
(Rev) *Canzoniere toscano* (id.)
CETRA LPP 216

28. LA PAGLIARA
canto rituale di maggio
Fossalto, Campobasso (Molise)

Il rito della "pagliara" occupa una posizione particolare nelle feste italiane del maggio. Esso, infatti, si collega al grande filone del "Verde Giorgio", presente in varie parti d'Europa. Il rito della "pagliara" ha in Italia, per quanto si sa e per quanto oggi rimane, una presenza assai circoscritta, in quei paesi del Molise che hanno popolazione d'origine slava.

A Fossalto la·mattina del primo maggio un uomo esce nelle strade del paese completamente ricoperto di un cono di rami, di erbe e di fiori, sormontato da una croce pure di fiori. Questo cono è appunto la "pagliara", così detto perché assomiglia alle capanne di paglia. L'uomo mascherato, accompagnato da un suonatore di zampogna e da un cantore va di casa in casa. Dalle finestre, festosamente, gli vengono rovesciati addosso secchi d'acqua, al grido di "Grascia, maie!" ("Grazie, maggio!"). Terminato il giro, il gruppetto sosta innanzi la chiesa, il portatore della "pagliara" si sveste, la croce viene offerta al sindaco, il cono deposto nell'orto del parroco.

Ha quindi inizio la seconda parte del rito. I tre uomini senza travestimenti, iniziano la questua, di casa in casa.

[Il bordone della Zampogna
tenuto per tutto il canto]

[Prima parte]

* La zampogna ripete la decorazione ad libitum, fino all'inizio del canto.
① Primo cantante ② Secondo cantante

ta - glia 'n chie-ne e   guàr-da-te   le ma - ne.   [Zampogna]

Prima parte

> Eccheti maie e chi ia li vo vedere
> tutte le massiere purtassero l'àine a mene
>
> Eccheti maie che li sciuri bielle
> menate aqua ca quisse iè nuvielle
>
> Chi te le diceva ca maie nen veniva
> menate l'aqua pure che la tina
>
> Maie vè cavaballe pe la Magniruccia
> salutamme la famiglia Cannituccia
> >   grasce maie
>
> Maie è sciute sott'a ru Ravattone
> pozza campà cent'anne la famiglia de lu Barone
> >   grasce maie
>
> Iecche a maie cavaballe pe la Vignola
> salutamme lu cavaliere Bagnoli
> >   grasce maie

Seconda parte (questua)

> Signora patrona va a lu lardare
> taglia 'n chiene e guàrdate le mane
>
> Signora patrona fai na cośa lesta
> si nen tien' curtille i mo ti l'impreste
>
> Signora patrona fascìme na cośa lesta

ca le cumpagne mi vonne passà
e passa e ripasseraie
e bene venga maie

Signora patrona e vàttine a lu nide
si n'c'è l'uove piglia la gallina

Traduzione

E venuto maggio con i fiori belli / gettate acqua che questo è novello
È venuto maggio chi lo vuol vedere / tutti i masssari portino gli agnelli a me
Chi te lo diceva che maggio non veniva / gettate acqua anche con la tina
Maggio vien giù per la Magniruccia (contrada) / salutiamo la famiglia Cannituccia / grazie maggio
Maggio è uscito sotto il Ravattone (contrada) / possa vivere cent'anni la famiglia del Barone
Ecco maggio giù per la Vignola (contrada) / salutiamo il cavalier Bagnoli
Signora padrona vai al lardo / taglia con abbondanza e guardati le mani
Signora padrona fa una cosa lesta / se non hai il coltello io te l'impresto
Signora padrona facciamo una cosa lesta / che i miei compagni vogliono passare / passa e ripassa / e ben venga maggio
Signora padrona vattene al pollaio / se non c'è l'uovo prendi la gallina

Bibliografia

A. M. Cirese, *La pagliara maie maie*, in "La Lapa", a.III, n. 1/2, marzo-giugno 1955
A. M. Cirese, *Canti pop. del Molise*, vol. 2, Rieti 1957

Discografia

* (Orig) *Northern & Central Italy* (CWLFPM, vol XV)
COL (USA) KL 5173

29. LE CARROZZE SON GIÀ PREPARATE
canto di nozze
Cortellazzo, Venezia (Veneto)

Questo canto è diffusissimo e molto noto in tutta l'Italia settentrionale ed è stato raccolto e anche pubblicato più volte, in testi abbastanza variati ma su moduli musicali sostanzialmente costanti. Originariamente canto di nozze, *Le carrozze* è passato, defunzionalizzato, al repertorio da osteria e a quello di risaia (acquistando, in quest'ultimo caso, un diverso significato).[1]

Sta - mat - ti - na m'al - zo al - le no - ve   con   la
fac - cia co - lor del lim - one   io   mi   la - vo con a-
-qua e sa - po - ne   per   men - ti - re quei tri - sti do - lor.

[da E. Tormene]

Stamattina m'alzo alle nove
con la faccia color del limone
io mi lavo con l'aqua e sapone
per mentire quei tristi dolor

Le carrozze son già preparate
i cavalli sono pronti a partire
dimi o bella se vuoi venire
a fare il viaggio di nozze con me

Inviteremo amici e parenti
suoneremo nei nostri strumenti

---

[1] Per una versione di risaia si veda *Nuovo Canzoniere Italiano*, n. 1 (Milano, luglio 1962). Nelle lezioni delle mondine le carrozze che "son già preparate" e "son pronte a partire" non sono quelle del viaggio di nozze, ma quelle che riportano a casa le donne dopo i quaranta giorni di lavoro. In quelle lezioni acquista poi un altro significato anche la strofa in cui la ragazza vuol apparire bianca come una palma (probabilmente la palma bianca della Domenica delle Palme), usando o l'acqua e sapone o l'olio e limone. Sta probabilmente a indicare l'aspirazione a cancellare l'abbronzatura acquisita in risaia, segno di un duro lavoro manuale, non dimenticando che nel mondo popolare, come in tutta la tradizione letteraria, l'ideale della bellezza femminile è quello delle carni morbide e bianche come il latte.

la sposína faremo danzar
la sposína faremo danzar

Apena entrata in camerella
lei si miśe nel letto a piangendo
dice oibella è giunto il momento
di soffrire quei tristi dolor

Fai da brava mia cara sposína
che i dolori non sofri mai più

Nel giardino tu sei la mia rośa
nel mio letto tu sei la mia spośa
nel baciar mi sento una scorsa [1]
una scorsa la sento nel cuor

Bibliografia

Nuovo Canzoniere Italiano, n. 1, 1962 [m]
S. Lodi e G. Morandi, "Autobiografia e repertorio di Adelaide Bona", in *Il Nuovo Canzoniere Italiano* n. 7/8, 1966 [m]

Discografia

(Orig/Rev) *La Mariuleina* (canta Giovanna Daffini)
Dds DS 32 (17)
(Orig/Rev) *I giorni cantati*
Dds DS 164/66

30. MAMMA MIA LA SPOŚA L'È CHÉ
canto rituale di nozze
Rava di Valtorta, Bergamo (Lombardia)

Fino a una quindicina d'anni fa questo canto veniva ancora esegui-

[1] *scossa*

to ritualmente durante i matrimoni nella montagna bergamasca, valtellinese e bresciana. Si sviluppava in una forma elementare di rappresentazione, con la partecipazione della suocera, dello sposo, della sposa e degli invitati. Lo scopo del canto era quello di esorcizzare, con la sua manifestazione pubblica e ritualizzata, il contrasto tradizionale fra suocera e nuora. Oggi questo canto è ancora eseguito qualche volta ai banchetti di nozze, ma ha perduto il suo carattere rappresentativo.

Mam - ma   mi - a   la   spo - śa   l'è

ché   fen-ghi a-le - grì   a   fen-ghi a-le - grì - a   mam - ma

mi - a   la spo-śa   l'è   ché   fen-ghi a-le - grì - a   che an-có l'èl   so   dé

bion '- da   bel - la   bion - da   oi   bion - di-nel - la   d'a - mor.

Sposo   Mamma mia la spośa l'è ché
             fenghi alegrìa
             fenghi alegrìa
             mamma mia la spośa l'è ché
             fenghi alegria che ancó l'è 'l so dé

Suocera   Che alegria g'ói mai de fa mé
se te l'è töcia
se te l'è töcia
che alegria g'ói mai de fa mé
se te l'è töcia mantègnela té

Che alegria g'ói mai de fa mé
daga la sapa
daga la sapa
che alegria g'ói mai de fa mé
daga la sapa e mandàla a sapà

Sposa   Caśa mia facevo ni-ent
stavo in botega
stavo in botega
caśa mia facevo ni-ent
stavo in botega servire la gént

Servivo la gente facevo i calzett
favo l'amore
favo l'amore
servivo la gente facevo i calzett
favo l'amore coi bei giovinet

Tutti   Tutti quei passi che tu mi fai far
cara biondina
cara biondina
tutti quei passi che tu mi fai far
cara biondina me li devi pagar

Me li devi pagare col sangue e'l sudor
quando la luna
quando la luna
me li devi pagare col sangue e'l sudor
quando la luna la cambia i color
bionda bella bionda
oi biondinella d'amor

Traduzione

(delle strofe in dialetto):
Mamma mia la sposa è qui / fatele allegria / fatele allegria / mamma mia la
sposa è qui / fatele allegria che oggi è il suo giorno
Che allegria che ho mai da far io / se te la sei presa / se te la sei presa / che
allegria ho mai da far io / se te la sei presa mantienila tu
Che allegria ho mai da far io / dalle la zappa / dalle la zappa / che allegria
ho mai da far io / dalle la zappa e mandala a zappare
A casa mia non facevo niente / stavo in bottega / stavo in bottega / a casa
mia non facevo niente / stavo in bottega a servire la gente
Servivo la gente facevo calzette / facevo l'amore / facevo l'amore / servivo la
gente facevo calzette / facevo l'amore con i bei giovanetti

Bibliografia

R. Leydi, *Le trasformazioni socio-economiche e la cultura tradizionale in Lom-
    bardia*, Milano 1972   [m]
F. B. Pratella, *Primo documentario*, ecc., Udine 1941 (vol. 2°)   [m]

Discografia

* (Orig) Disco allegato alla pubblicazione di R. Leydi cit. in Bibl.

31. SCURA MAIE SCURA MAIE
canzone derivata dal lamento funebre
Scanno, L'Aquila (Abruzzo)

Questa canzone, che è assai conosciuta nell'area abruzzese [1] (raccolta
nelle zone di Vasto, Scanno, Amatrice – che oggi è parte della provincia di Rieti ma un tempo apparteneva all'Aquila) rappresenta la
modificazione di un vero e proprio lamento funebre di cui conserva
in gran parte il testo. Anche la melodia mantiene rapporti con il lamento funebre abruzzese (da tempo in disuso), ma ha assunto, de-
funzionalizzandosi il fatto comunicativo, un andamento da canzone.

---

[1] Fa parte anche del repertorio di cori folkloristici e gruppi "caratteristici" abruzzesi.
È stato anche molto trasmessa, in quelle esecuzioni, da Radio Pescara.

[1' 15"]

Violino Solo

Canto (✳)
e Violino

Scu-ra

mà - ie scu-ra mà-ie   tu se mor-te e chin-da fac-cie   mo' me

strac-cie trec-cie 'n fac-cie   mo' mi   iet-te 'n cuoz-ze a ta-glie scu-ra

Violino Solo

mà - ie scu - ra mà - ie.

Canto (✳) e Violino

M'ài la-scia-te 'na fa-mi-glia scai-ze

niu-de ap-pi-ti-tàu-se   chin-d'ap-pe-na si ri-sve-glia vuo-le 'l

pa - ne e i — ni ll'a - ie scu - ra mà - ie scu - ra mà - ie.

* Il canto è un'ottava più bassa.

Scura màie scura màie
tu se morte e chinda faccie
mo' me straccie treccie 'n faccie
mo' mi iette 'n cuozze a taglie
scura màie scura màie

M'ài lasciate 'na famiglia
scaize niude appititàuse
chind'appena si risveglia
vuole 'l pane e i ni ll'àie
scura màie scura màie

Quando a casa i riette
ci truvette ddui usciere
e ci andenne lu prucesse
me sequestrette la roba màie
scura màie scura màie

La teneva na caserelle
mo' non tiengi chiù riciette
senza pane e senza liette
la cacciuna semp'abbàie
scura màie scura màie

Traduzione

Scura m'hai fatta scura m'hai fatta / tu sei morto e io che faccio? / Adesso
mi straccio le trecce in faccia / adesso mi getto sopra di te / scura m'hai fatta
scura m'hai fatta

Mi hai lasciato una famiglia / scalza, nuda, affamata / che appena si risveglia /
vuole pane e io non ne ho / scura m'hai fatta scura m'hai fatta

Quando sono tornata a casa (dal cimitero) / ho trovato due uscieri / e ci fu
il processo / e mi sequestrarono la mia roba / scura m'hai fatta scura m'hai
fatta.

Avevo una casetta / ora non ho più ricetto / senza pane e senza letto / la
cagnetta abbaia sempre / scura m'hai fatta scura m'hai fatta.

Bibliografia

P. D. Lupinetti, *Lu lagnu de la vedua*, in "Lares", a. XXI, fasc. 3-4, luglio-dicembre 1955

E. Montanaro, *Canti della terra d'Abruzzo*, vol. 2, Milano 1924 [m]

Discografia

* (Orig) *Northern & Central Italy* (CWLFPM, vol. XV)
COL (USA) KL 5173
(Rev) *Lu picurare* (canta Giovanna Marini)
DDS DS 21 (17)

III
Canzoni a ballo e balli strumentali

Il carattere di questa raccolta, che non vuol essere soltanto un'antologia di alcuni aspetti dell'etnofonia italiana, ma anche un riferimento pratico per repertori di "revival", esclude che possa venir dedicato ai balli, sia cantati che strumentali, lo spazio che questo momento comunicativo della cultura tradizionale meriterebbe in una trattazione specificatamente demologica o etnomusicologica.

Riteniamo, tuttavia, che una seria operazione di "revival" non possa ignorare, accanto ai canti, i balli, compresi quelli strumentali e sarebbe persino auspicabile un "revival" coreutico, oltre che musicale.

Quindi, per completezza documentaria e per suggerimento di "revival", diamo qui una piccola scelta di canzoni a ballo e di balli strumentali, di varie regioni e vario carattere. Manca purtroppo, nel nostro paese, un'esperienza di studio sul momento coreutico dei balli popolari, parallela a quella musicologica. Manca, cioè, il necessario appoggio per avviare una descrizione attendibile e una revisione storico-critica seria dei balli che qui pubblichiamo nella loro parte testuale e musicale.

Va avvertito che questi otto balli sono indicati con il nome che vien loro dato da chi li ha a noi trasmessi, cioè dagli informatori popolari, esecutori dei balli stessi. Nell'uso popolare troviamo balli fra loro assai differenti con eguale nome e balli molto simili (almeno musicalmente) con nomi diversi. Una classificazione dei balli popolari non può esser fatta, quindi, nominalisticamente, ma piuttosto per affinità e coincidenze strutturali, nella musica e soprattutto nelle forme coreutiche, per razionalizzazione di discendenze e di trasformazioni.

32. BALLO DEL FAZZOLETTO

ballo cantato
Troviggiano, Macerata (Marche)

Questo ballo era un tempo conosciuto e danzato anche in Romagna, regione musicalmente più affine ai territori con cui confina a sud e ad ovest (Marche e Toscana) che non all'Emilia.

Fi - glia mia mo' vie-ni al bal - lo bab - bo mi-o e no e

no sul - la piaz-za di Mon - te - gal - lo bab-bo mio non ven - go

no bab - bo mio non ven - go no che le scar-pet - te non ce

l'ò. E lo bab - bo se ne die - de e le scar - pet - te glie - le

fe - ce la mamma se ne ri - dì - a è scar-pet-ta-ta la fi - glia mi - a.

[Commiato]

[13"] Organetto

Voce

Vi vo - glio sa - lu - ta - re a tut - ti quan -

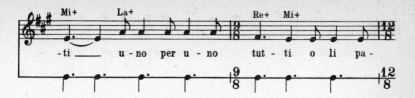

Figlia mia mo' vieni al ballo
babbo mio e no e no
sulla piazza di Montegallo [1]
babbo mio non vengo no
babbo mio non vengo no
che le scarpette non ce l'ò

E lo babbo se ni diede
le scarpette gliele fece
e la mamma se ne ridìa
è scarpettata la figlia mia

Figlia mia mo' vieni al ballo
[vv. 2/5 come strofa 1]
che le mutande non ce l'ò

E lo babbo se ni diede
le mutande gliele fece
e la mamma se ne ridìa
le mutande à la figlia mia

[1] Montegallo: località della provincia di Ascoli Piceno.

Figlia mia mo' vieni al ballo
[vv. 2/5 come strofa 1]
che li calzetti non ce l'ò

E lo babbo se ni diede
e li calzetti glieli fece
e la mamma se ne ridìa
è calzettata la figlia mia

Figlia mia mo' vieni al ballo
[vv. 2/5 come strofa 1]
che la camicia non ce l'ò

E lo babbo se ni diede
la camicia gliela fece
e la mamma se ne ridìa
è camiciata la figlia mia

Figlia mia mo' vieni al ballo
[vv. 2/5 come strofa 1]
la sottoveste non ce l'ò

E lo babbo se ni diede
la sottoveste gliela fece
e la mamma se ne ridìa
è in sottoveste la figlia mia

Figlia mia mo' vieni al ballo
[vv. 2/5 come strofa 1]
che lo vestito non ce l'ò

E lo babbo se ni diede
e lo vestito glielo fece
e la mamma se ne ridìa
è vestita la figlia mia

Figlia mia mo' vieni al ballo
[vv. 2/5 come strofa 1]
che 'l fazzoletto non ce l'ò

e lo babbo se ni diede
e 'l fazzoletto glielo fece
e la mamma se ne ridìa
à 'l fazzoletto la figlia mia

Commiato

Vi voglio salutare a tutti quanti
uno per uno a tutti o li parenti
uno per uno a tutti o li parenti

Bibliografia

F. B. Pratella, *Etnofonia di Romagna*, Udine 1938   [m]
G. Pecci, *Saltarello nella campagna riminese*, in "La Piê", a.IV, n. 6, 1923   [m]

33. LA MONFERRINA
ballo cantato
(Piemonte)

Fino a qualche decina d'anni fa danza di larga diffusione soprattutto in Piemonte (ma anche in altre regioni dell'Italia settentrionale e in Toscana), la *monferrina* non sopravvive oggi che in qualche sporadica occasione di festa paesana e per lo più in forme coreuticamente degradate. Se in passato vi furono più melodie conosciute come *monferrina*, a poco a poco una di esse ha preso il sopravvento (in Piemonte) sulle altre, fino a divenire la *monferrina* piemontese per antonomasia. In altre regioni settentrionali e centrali (Toscana) sono in uso (o, più frequentemente, nel ricordo) molte diverse melodie a ballo chiamate *monferrine*.

La *monferrina* (che deriva il suo nome dal Monferrato) è un ballo a coppie, arricchito dalla figurazione del cerchio, attorno alla
coppia più abile. In Piemonte la *monferrina* rientra nel gruppo delle *curènte* (correnti) che formavano (fino a culminare nel più veloce
e trascinante *curentùn*) il momento conclusivo del ciclo di balli che
si svolgevano per lo più nei cosiddetti *bal a palchètt*, pedane smon-
tabili, recintate e coperte che venivano portate, come le giostre, di
paese in paese, seguendo il calendario delle feste patronali e delle
fiere agricole. Su queste pedane si ballava a pagamento, al suono di
un'orchestrina o una piccola banda o magari anche una sola fisarmonica. La *curènta* finale accompagnava l'incanto del *buchètt*, mazzo di
fiori disputato all'asta dai vari cavalieri per omaggio ciascuno alla
propria dama. La *monferrina* è danza strumentale e vocale.

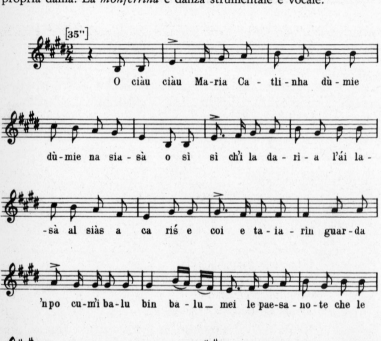

vol - ta 'n cu - ra na vol - ta o cun mi cun mi cun

mi 'n cu - ra na vol - ta e pöi — mai pì 'n cu - ra na vol - ta su - ta la

por - ta 'n cu - ra na vi - ra su - ta la ri - va o cun

mi cun mi cun mi 'n cu - ra na vol - ta e pöi — mai pì.

O ciàu ciàu Maria Catlinha
dùmie dùmie na siasà
o si si ch' i la darìa
l'ái lasà al siàs a ca

riś e còi e taiarìn
guarda 'n po cum'i balu bin
balu mei le paeśanote
che le tote ad Türin

      O cun mi cun mi cun mi
      'ncura na volta 'ncura na volta
      o cun mi cun mi cun mi
      ancura na volta e pöi mai pi
      ancura na volta suta la porta
      ancura na vira suta la riva
      o cun mi cun mi cun mi
      ancura na volta e pöi mai pi

Traduzione

O ciao ciao Maria Caterina / diamogli diamogli una setacciata / O si si che la darei / ma ho lasciato il setaccio a casa / Riso e cavoli e tagliatelle / guarda un po' come ballo bene / ballano meglio la paesanotte / che le signorine di Torino
E con me con me con me / ancora una volta ancora una volta / e con me con me con me / ancora una volta e poi mai più / ancora una volta sotto la porta / ancora una volta sotto l'argine / o con me con me con me / ancora una volta e poi mai più

Bibliografia

L. Sinigaglia, *24 vecchie canzoni pop. del Piemonte*, Milano 1956   [m]

Discografia

* (Orig) *Italia*, vol. 1
ALBATROS VPA 8082
* (Rev) *Almanacco Popolare / Canti popolari italiani*
ALBATROS VPA 8089

Per altri balli popolari piemontesi:
(Orig) *Le stagioni degli Anni '70*
DdS DS 508/513

34. SALTARELLO
ballo strumentale
Norcia, Perugia (Umbria)

Presente, in molte varietà, in tutta l'Italia centrale e ben vivo nell'uso fino a qualche decina d'anni fa, il *saltarello* (o *saltarella*, o *savatarèlle*, com'è spesso chiamato in Abruzzo, *ballarella*, o *stuzzichetto* nel Frusinate) non è oggi del tutto dimenticato e ancora vive qua e là, suonato e danzato in varie occasioni festive (soprattutto i matrimoni), anche dai giovani.
   Si può dire che il *saltarello* appartiene al vasto filone delle danze di corteggiamento e che non improbabile è una sua antica discendenza italica, anche senza voler accettare per documento indiscusso della sua arcaicità alcune pitture murali delle tombe etrusche di Tarqui-

nia (V secolo) che effetivamente ci propongono la figurazione di danzatori impegnati in gesti e passi che ci ricordano il nostro *saltarello*. Va comunque notato che, contrariamente a quanto può far pensare il suo nome, questo ballo non è molto saltato (in alcuni luoghi, per esempio in Ciociaria, non è saltato del tutto e anzi si presenta morbido e quasi lento).

Il *saltarello* è danza ampiamente testimoniata nella tradizione colta fin dal XIV secolo (quattro *saltarelli*, per esempio, sono nel famoso manoscritto del British Museum che raccoglie anche otto *istampite*, una *rotta* e due altri balli intitolati *Lamento di Tristano* e *La Manfredina* che sono generalmente considerati *saltarelli*, sia per la collocazione nel codice che per i loro caratteri formali) e ha largo uso fino alla metà del XVI secolo, quando viene via via sostituito dalla *gagliarda*, ma questi antichi documenti non hanno molto in comune, musicalmente, con l'omonimo ballo dalla tradizione centro-italiana. Si può pensare che la danza popolare già esistente abbia dato origine al *saltarello* cortigiano, proseguendo in modo indipendente la sua evoluzione fino alle forme che noi conosciamo. *Il saltarello* colto del XV secolo era, nella sua "varietà" italiana (in contrapposto a quella tedesca), in tempo dispari, su moduli di tre battute, con l'inizio in levare, era vivace e brillante ma non saltato, anzi vicino alla *bassadanza*.

I due strumenti che eseguono il saltarello qui pubblicato sono tipici di tutta l'area centro-meridionale. Il più arcaico dei due è certo il tamburo a frizione (detto, nei vari luoghi, *cupa-cupa, puti-pù*, ecc.), formato da un recipiente conico di terracotta o di legno, chiuso superiormente da una pelle ben tesa, come un tamburo. Il centro della pelle ha un foro rotondo nel quale è infitto un bastone che emerge per una quarantina di centimetri. Il suono è prodotto dallo sfregamento della mano impeciata, stretta attorno al bastone.

L'organetto, diffuso in tutta l'Italia centro-meridionale e in Sardegna, è invece strumento relativamente moderno, entrato nell'uso popolare nella seconda metà dell'Ottocento (fu infatti inventato attorno al 1826). Ha l'aspetto di una piccola fisarmonica, ma è diatonico. Ve ne sono a "un botto" e a "due botti", cioè a una o due tonalità. È usato sia per accompagnare il ballo che il canto. A Cerqueto è usato appunto sia per il *saltarello* che per accompagnare gli stornelli.

In altre zone dell'Italia centrale, il *saltarello* è (o era) eseguito anche con altri strumenti, quali la zampogna (e l'organetto può essere considerato la sostituzione moderna di questo strumento) e il tamburello.

Dal ℅ al ⊕
poi segue

6 volte

Bibliografia

L. Colacicchi, "Canti pop. di Ciociaria", in *Atti del 3° Congresso Arti e Trad. Popolari*, Roma 1938 [m]

M. T. Mariconda, *La danza pop. nel Frusinate*, in "Lares", a. XXX, fasc. 1/2, gennaio-giugno 1964 [m]

G. Ginobili, *Canti popolareschi piceni*, 4ª Raccolta, 1955 [m]

Discografia

(Orig) *Music & Song of Italy*
TRADITION TLP 1030
(Orig) *Italia*, vol. 1
ALBATROS VPA 8082
(Orig) *Le stagioni degli Anni '70*
DDS DS 508/513
(Orig) *Le stagioni degli Anni '70*
DDS DS 508/10

35. FURLANA
ballo strumentale
Frassinoro, Modena (Emilia)

Uno dei tanti balli che assumono il nome, pur senza la sopravvivenza di una conferma storica, da una regione o territorio (come la *monferrina*, la *bergamasca*, la *polesana*, l'*alessandrina*, ecc.). Sotto il nome di *furlana* ha avuto presenza nobile un ballo con fortuna anche cortigiana, vivo fino alla fine del XVIII secolo. Balli detti *furlane* hanno avuto uso in quasi tutta l'Italia settentrionale e specialmente nella parte orientale e centro-orientale (Lombardia, Venezie, Emilia, Romagna). L'esempio pubblicato, corrotto ma non devastato, era ancora in uso sull'Appennino modenese almeno fino a una decina d'anni fa, eseguito dalla fisarmonica, alternato, soprattutto alle feste di nozze, da altre danze antiche (*veneziana, giga, trescone*), più recenti (*polca* e *mazurca*) e moderne (*valzer, one-step, fox-trot*).

Bibliografia

G. Ungarelli, *Le vecchie danze italiane ancora in uso nella prov. bolognese*, Roma 1894

F. B. Pratella, *Etnofonia di Romagna*, Udine 1938

P. Pezzé, "La furlana", in *Avanti col brun*, Udine 1962   [m]

G. Bignami, *Danze pop. del territ. bresciano*, in "Lares", a. XII, fasc. 2, 1940   [m]

Discografia

* (Orig.)   *Italia*, vol. 1
ALBATROS VPA 8082
(Orig)   *La zampogna in Italia*
ALBATROS VPA 8149

36. LA VENEZIANA
ballo cantato
Frassinoro, Modena (Emilia-Romagna)

Ballo che pare esser stato assai diffuso, almeno come denominazione in tutta l'Italia settentrionale e giù fino al Lazio. Da quanto risulta dalle raccolte la prima o la prima e la seconda strofa sono caratterizzanti e ritornano, con varianti, in quasi tutte le zone dove la *Veneziana* era ballata e cantata. Le strofe seguenti sono invece le più varie e spesso non paiono avere alcun rapporto con le antecedenti.[1]

[1] È utile notare come la *Veneziana* altro non sia che una successione di villotte (o strambotti) con liolela. Si vedano, per confronto, le *Polesane* (brano n. 44), le *Villotte* (brano n. 48) e anche *El me muruś el sta de la del Sère* (brano n. 47).

boc - ca _____ la ve - ne - zia - na l'à 'n bel fio - re in

La+

boc - ca _____ la ve - ne - zia - na l'à 'n bel fio - re in

boc - ca _____ vi - va la ve - ne - zia - na e chi la

La7

La veneziana l'à 'n bel fiore in bocca
la veneziana l'à 'n bel fiore in bocca
la veneziana l'à 'n bel fiore in bocca
viva la veneziana e chi la tocca
    la ra la ra la, ecc.

La veneziana l'à 'n bel fiore in cuore
la veneziana l'à 'n bel fiore in cuore
la veneziana l'à 'n bel fiore in cuore
viva la veneziana e lu so amore
    la ra la ra la, ecc.

E na matina mi levai pian piano
e na matina mi levai pian piano
e na matina mi levai pian piano
trovai 'na vecchia l'era nel pantano
    la ra la ra la, ecc.

E la mi disse tirami un po su
e la mi disse tirami un po su
e la mi disse tirami un po su
ci diedi un calcio e la mandai più giù
    la ra la ra la, ecc.
E la mi disse vattene a confessa
e la mi disse vattene a confessa
e la mi disse vattene a confessa
a dare 'n calcio a 'na povera vecchia
    la ra la ra la, ecc.

E gl'ò risposto mi son confessato
e gl'ò risposto mi son confessato
e gl'ò risposto mi son confessato
dare 'n calcio a 'na vecchia non è peccato

Bibliografia

G. Ungarelli, *Le vecchie danze italiane ancora in uso nella provincia bolognese*, Roma 1894   [m]

F. B. Pratella, *Etnofonia di Romagna*, Udine 1938   [m]
G. Giannini, *Canti della montagna lucchese*, Torino 1889   [m]

37. BALLO TONDO
ballo strumentale
Orgosolo, Nuoro (Sardegna)

Così ci ha descritto il *ballu sardu* "di base" Giulio Fara:

Ampio cerchio intorno al suonatore. Uomini e donne alternati, con le braccia stese lungo il corpo. Si tengon per mano o anche per un solo dito, con il braccio dell'uno aderente al braccio dell'altro fin quasi alla spalla. Le donne gli occhi bassi, al suolo. Gli uomini guardano in avanti. Uomini e donne il corpo non piegano. I movimenti rigidi, sembrano quasi non muoversi. Tutto il cerchio gira lento torno torno, procedendo da sinistra a destra. Ogni due passi verso sinistra, ne arretra uno verso destra, così che occorrono tre passi per avanzare di uno. Da ciò la lentezza del moto circolare e il molto agitarsi o strisciare dei piedi che, quando il suono dello strumento affievolisce, si ode distintamente.

Ballo lento e solenne che alla fine, quando il sangue arde e l'aria sembra satura di fiamme d'amore, seguendo la legge naturale del *motus in fine velocior*, accelera, sotto la spinta che gli imprime il suonatore con più rapido ritmo. Allora si procede sempre da sinistra verso destra, senza passi di ritorno.

Talvolta una coppia, distaccandosi dal cerchio, avanza verso il centro. Ad un tratto qualcuno grida: *Foras s'omine!* ed allora mentre l'uomo rientra nel cerchio, la donna si sceglie un altro cavaliere. Poi si grida: *Foras sa femmina*, ed è la volta della donna a rientrare nel cerchio e dell'uomo a cercarsi una dama. [...]

Talvolta, una coppia di danzatori più abile delle altre coppie, senza lasciare la presa di mano del cerchio, si avanza verso il centro facendo sfoggio, d'innanzi al suonatore, di passi assai più rapidi in modo che entrandone il doppio in ogni misura non perdano la cadenza. In tal caso il girare del cerchio rallenta e ad ogni sgambetto finale dei danzatori di eccezione o quando uno dei due deve cambiar compagno, si leva alto un acutissimo grido selvaggio.

In forme poco differenti il "ballo tondo" è danzato in tutta la

Sardegna. L'accompagnamento musicale è offerto dalle launeddas, dai quartetti e quintetti vocali dalla chitarra, dal flauto di canne o dalla fisarmonica,[1] come nella versione orgolese qui pubblicata.

---

[1] Si tratta di una piccola fisarmonica e non di un vero e proprio organetto. Si noti infatti che i bassi non sono fissi come nell'organetto.

Bibliografia

G. Fara, *L'anima della Sardegna*, Udine 1940   [m]
D. Carpitella, *Ritmi e melodie di danze pop. in Italia*, Roma 1956   [m]
D. Carpitella, P. Sassu, L. Sole, *La musica sarda*, Milano-Sassari 1973   [m]

Discografia

Ballo tondo con fisarmonica
* (Orig)   *Italia*, vol. 1
ALBATROS VPA 8082
(Orig) *La musica sarda*, vol. 3
ALBATROS VPA 8152

Con launeddas:
(Orig) *Southern Italy & The Islands* (CWLFPM, vol. XVI)
COL (USA) KL 5174
(Orig)   *Italia*, vol. 1
ALBATROS VPA 8082
(Orig) *Le stagioni degli Anni '70*
DDS DS 508/513
(Orig) *La musica sarda*, vol. 3
ALBATROS VPA 8152

Con voci:
(Orig)   *Southern Italy & The Islands* (CWLFPM, vol. XVI)
COL (USA) KL 5174
(Orig)   *Italia*, vol. 1
ALBATROS VPA 8082

(Orig) *Gli Aggius*
DDS DS 131/33CL
(Orig) *La musica sarda*, vol. 3
ALBATROS VPA 8152

Con chitarra:
(Orig) *Folk Music from Italy*
FOLKWAYS P 520 A/D

Con chitarra e voce:
(Orig) *La musica sarda*, vol. 1
ALBATROS VPA 8152

Con flauto diritto:
(Orig) *La musica sarda*, vol. 3
ALBATROS VPA 8152

Con flauto diritto e chitarra:
(Orig) *Southern Italy & The Islands* (CWLFPM, vol. XVI)
COL (USA) KL 5174

Con flauto diritto, triangolo e tamburello:
(Orig) *Italia*, vol. 1
ALBATROS VPA 8082
(Orig) *La musica sarda*, vol. 3
ALBATROS VPA 8152

38. RESIANA
ballo strumentale
San Giorgio di Resia, Udine (Friuli-Venezia Giulia)

La comunità resiana è tra le più singolari e interessanti tra i gruppi di minoranza etno-linguistica del nostro paese. Posta al confine orientale, in provincia di Udine, conta circa tremila abitanti che mantengono, anche in virtù dell'isolamento geografico e delle strutture economiche legate fino a pochi anni fa quasi esclusivamente all'agricoltura di montagna e all'emigrazione, una forte coesione sociale e culturale. Numerose ipotesi sono state avanzate, soprattutto sulla base dello studio linguistico, per spiegare l'origine dei resiani. Fu un illustre linguista polacco del secolo scorso, J. I. Baoudouin de Courtenay, a studiare tra i primi il singolare dialetto della Val di Re-

sia e a metterne in luce le particolarità. Riconoscendo nel parlare
resiano la presenza di quell' "armonia vocalica" che parrebbe caratterizzare il gruppo linguistico slavo-turanico, de Courtenay non esitò,
soprattutto nei primi studi, ad assegnare radici molto arcaiche allo
slavo di Resia. Successivamente, sotto la pressione di varie critiche, de
Courtenay stesso ridimensionò la sua ipotesi ammettendo la possibilità che la presenza dell' "armonia vocalica" nel dialetto resiano
avesse altra e non meno avventurosa origine. Ora, se anche non è
provato che la comunità sia un residuo della prima grande invasione
slava (VIII secolo), mantenutasi in condizione di relativa stabilità
linguistico-culturale fino ad oggi, i caratteri del dialetto e del patrimonio comunicativo in generale rimangono singolari e pieni di interesse. L'attenzione che vari studiosi jugoslavi, in questi ultimi anni, hanno rivolto a Resia e alla sua cultura è la prova dell'ecceziona-
lità di questo piccolo gruppo etnico.

Il ballo è un elemento essenziale della vita sociale resiana, ancora
oggi. A San Giorgio e negli altri villaggi della valle si suona e si
balla (spesso in costume) in molte occasioni della vita sociale, con
la partecipazione anche dei giovani. La danza è elemento essenziale
in quasi ogni festa, nel carnevale, al momento della coscrizione militare.

L'orchestra resiana è composta da uno o due violini (*cytira*, pro-
nuncia tzütira) e da un violoncello (*brúnkula*). È probabile che il
violino e il violoncello (entrambi suonati con posizioni popolari e
non "classiche") abbiano sostituito altri strumenti tradizionali, ma
essi sono presenti a Resia almeno dal 1838, quando gli abitanti
della comunità si esibirono, come ricordano le cronache, innanzi al-
l'imperatore e all'imperatrice d'Austria, in visita a Udine.

Un forte sostegno ritmico è offerto dai colpi che i suonatori battono con i piedi, alternando il sinistro e il destro in sequenze di varia
lunghezza, caratterizzate ora dalla tonica e ora dalla dominante. Vari
balli sono puramente strumentali, altri sono completati dal coro dei
danzatori, uomini e donne, per lo più in forma alterna.

Per finire
dal ℅ al ⊕
poi Coda

CODA

Bibliografia

D. Carpitella, *Ritmi e melodie di danze pop. italiane*, Roma 1956 [m]
P. Mercù, *Il folklore musicale del Friuli orientale*, in "Rassegna Musicale Curci",
   a. XXI, n. 3, 1968

Discografia

* (Orig) *Italia*, vol. 1
ALBATROS VPA 8082
(Orig) *Northern & Central Italy* (CWLFPM, vol XV)
COL (USA) KL 5173
(Orig) *Music & Song of Italy*
TRADITION TLP 1030

39. TARANTELLA
ballo strumentale
Santuario della Madonna della Montagna, Polsi, Reggio Calabria (Calabria)

La *tarantella* è ancor oggi presente in molte aree del nostro Sud dove
permane spesso in forme arcaiche, assai lontane da quelle stilizzazio-
ni semi-colte e dopolavoristiche di tipo "napoletano" che, purtroppo,
impongono ormai lo stereotipo modello, agli occhi del pubblico borghese, di questo duro e violento ballo meridionale. Connessa alla
terapia e ai riti del tarantismo,[1] dei quali costituisce il momento es-

---

[1] E. De Martino, *La terra del rimorso*, Milano 1961 (in quest'opera, che tratta del
fenomeno del tarantismo, è specificatamente dedicata alla musica l'appendice III,
stesa da D. Carpitella).

senziale e centrale, la tarantella è anche danza di corteggiamento, carica di esplicitazioni sessuali e di manifestazione di violenza. Oggi è per lo più ballata da due uomini e una donna. Lo schema rappresentativo segue solitamente schemi abbastanza costanti, nella figurazione della rivalità dei due maschi, eccitati dalla femmina.

La *tarantella* (che assume anche nomi diversi in tutta la sua area di presenza, come *saltarello, balletto*, ecc.) era ed è eseguita con strumenti diversi. Dove la zampogna è ancora nell'uso questo strumento arcaico è ancora utilizzato, con il tamburello, per il ballo (Campania, Calabria, Sicilia), ma generalmente il suo posto è stato preso dall'organetto (come nell'esempio che qui pubblichiamo). I musici terapeuti del tarantismo salentino usano il violino e la chitarra, oltre l'organetto e il tamburello; nel Gargano la *tarantella* è eseguita con la chitarra battente, chitarre normali, tamburello e castagnette.

Sol

2 volte

* Avanti ad libitum utilizzando i vari moduli.

Bibliografia

M. Schneider, *La tarantela y la danza de espadas*, Barcellona 1948
D. Carpitella, *Ritmi e melodie di danze pop. in Italia*, Roma 1956

Discografia

* (Orig) *La zampogna in Italia*
ALBATROS VPA 8149
(Orig) *Southern Italy & the Islands* (CWLFPM, vol. XVI)
COL (USA) KL 5174
(Orig) *Italia*, vol. 1
ALBATROS VPA 8082
(Orig) *Sicily in Song & Music*
ARGO DA 30
(Orig) *Music & Song of Italy*
TRADITION TLP 1030

IV

Serenate, stornelli, strambotti, mutu, canti lirici e satirici, canti numerativi

Sono raccolti in questa sezione canti di diversa struttura e di diversa funzione, caratterizzati, molto genericamente, da un contenuto lirico o satirico. Il metro dominante è l'endecasillabo.

I canti di questo tipo sono stati variamente denominati dai ricercatori, editori e studiosi di "poesia" popolare e hanno nomi differenti nell'uso tradizionale. Secondo uno schema convenzionale la maggior parte dei testi pubblicati potrebbe farsi rientrare in quelle due ampie e generiche categorie che sono lo "stornello" e lo "strambotto", ma non abbiamo ritenuto né opportuno, in questa sede, né corretto, in termini propri di classificazione del materiale comunicativo tradizionale, cercare una loro precisa sistemazione. Si è, cioè, preferito, pubblicare un certo numero di canti secondo raggruppamenti definiti da denominazioni o di comodo o desunte dall'uso popolare.

Questa scelta nasce da varie considerazioni. Per esempio, non riteniamo che nella realtà sia possibile stabilire un confine accettabilmente verificato fra quella forma che i folkloristi chiamano "stornello" e quell'altra che chiamano "strambotto" (la prima avrebbe due o tre endecasillabi, la seconda ne avrebbe un numero maggiore, ma se dalle raccolte a stampa, che riportano testi sui quali il folklorista è intervenuto, si passa all'osservazione dell'uso reale si scopre che l'impiego della ripetizione dei versi è così largo e costante da rendere non sempre accettabile una simile partizione "quantitativa") e pure riteniamo che, accertata l'esistenza di una serie di moduli formali, testuali, metrici, musicali ricorrenti, potrebbe esser più pertinente un esame del materiale cosiddetto "lirico-monostrofico" secondo le sue funzioni.

Infatti ci sembra che per una larghissima parte degli "stornelli", degli "strambotti" e simili "forme" si possa concretamente parlare in termini di ancor riconoscibile funzionalità, anche se i processi di trasformazione e deterioramento delle strutture culturali tradizionali hanno seriamente defunzionalizzato una larga parte di questo materiale. Si può dire, per esempio, che in certe occasioni le serenate e le sequenze di "stornelli" o di "strambotti" avevano la funzione di "comunicare" sentimenti e desideri che non sarebbero stati accettati in una diversa forma comunicativa, per esempio nei modi del discorso diretto, non formalizzato. Il contenuto erotico di molti testi, l'invito sessuale di altri, la dichiarazione di desiderio amoroso di altri ancora paiono ricevere una "ritualizzazione" attraverso la loro fissazione in un testo formalizzato e convenzionale che consente ancora la trasmissione del messaggio, ma trasferisce il messaggio stesso a un livello diverso da quello quotidiano, oltre le convenzioni moralistiche. In altre parole: certi inviti alle donne non sarebbero stati tollerati se espressi in modo diretto e in prima persona. Sono accettati se trasmessi in un canto e quindi, si potrebbe dire enunciati in terza persona.

Nell'uso popolare i canti dei gruppi "stornello" e "strambotto" assumono, nei vari luoghi (e talora nelle varie occasioni pur nello stesso luogo) nomi differenti, per esempio: rispetto, dispetto, serenata, stranot, canzone, ottava, ritornello, canto a figliola, sonetto, fronne 'e limone, fiori, polesane, vilotte, romanella, canto a la stesa, distorna, maitinada, ecc. (nelle varie forme dialettali).

Va anche ricordato (già se n'è fatto cenno nella sezione dei balli) che spesso le sequenze di canti "monostrofici" erano e sono usate per i balli cantati.

Per quanto riguarda la nostra scelta si ricordi che lo scopo è di offrire un certo numero di modelli musicali e non già una collezione di testi. I brani pubblicati vogliono quindi esemplificare su vari tipi di melodie usati per cantare stornelli, strambotti, villotte, ecc.

40. LA DIŚISPIRATA

serenata

Tempio Pausania, Sassari (Sardegna)

Canzone solistica, eseguita per lo più con accompagnamento di chitarra, come serenata. "Diśispirata", infatti, significa "risvegliata" (spagnolo "despertar") e non "disperata" come talora è detto.

[2' 57"]

A _____ de-a di li cie-li

cum - pa - ti si ti sciù - ta -

- ni li can - ti cre -

- di pur' fi - de - li

cre - di pur' fi - de - li mi - ra chi ca ti sciu -

-ta _____ è un a-man - ti   ca

te _____   vo' pro-mit-

-ti ___   d'a - ma - - - - -

-ti __   can-tu cam - pa _____   d'a - ma - ti

can-tu cam-pa ___   not - - - - ti e

dì   drom-mi   do - ra nin-nì   a - lò   a-

-lò   de - u   lu bè   ti di - a   a   ma - li

no   oh _____

A dea di li cieli
cumpati si ti sciùtani li canti
credi puru fideli
credi puru fideli
mira chi ca ti sciuta è un amanti
ca te vo' promittì
d'amati cantu campa
d'amati cantu campa
notti e dì
drommi dora ninnì alò alò
deu lu bè ti dia a mali no o

Traduzione

O dea del cielo / perdona se ti svegliano i canti / credi pure fedele / credi pure fedele / vedi che ti sveglia un amante / che a te vuole promettere / d'amarti quanto campa / d'amarti quanto campa / notte e giorno / dormi e fai la nanna alò alò / dio ti dia il bene e il male no o.

Bibliografia

G. Gabriel, *Canti di Sardegna*, Milano 1923

Discografia

* (Rev) *La disispirata* (canta Maria Teresa Bulciolu)
DDS DŠ 46 (17)

41. STORNELLI

A
Toscana

Pe - schi fio - ren - ti ___   ò can - zo - na - to di - cian - no - ve a-

-man-ti ____   ò can-zo-na-to di-cian-no-ve a-man-ti ____

e se can-zo-no voi sa-ran-no ven-ti ____

col-go la ro-sa e la-scio star la fo-glia

ò tan-ta vo-glia di far con te al-l'a-mor. ____

[da M. Foresi]

Peschi fiorenti
ò canzonato diciannove amanti
ò canzonato diciannove amanti
e se canzono voi saranno venti
colgo la rośa e lascio star la foglia
ò tanta voglia di far con te all'amore

Fior di suśino
se passeggi per me passeggi invano
se passeggi per me passeggi invano
senz'aqua non si macina il mulino

Fior di granato
prendételo prendételo marito
prendételo prendételo marito
se avete da scontà qualche peccato

Fior di trifoglio
giovanottino voi pigliate abbaglio
giovanottino voi pigliate abbaglio
non è ancor seminata l'erba voglio

O quanta frutta
la donna innamorata è meźźa matta
la donna innamorata è meźźa matta
quando à preśo marito è matta tutta

B
Toscana

Se vuoi ve - ni - re vie - ni ____
a ca - sa mi - a ____
e la me - glio seg - gio - li - na ____
e - ra la tu - a che te pos-si -no va - śà. ____

Se vuoi venire vieni a caśa mia
e la meglio seggiolina era la tua
    che te possino vaśà

Nel porto de Livorno là c'è due barche
venítele a vedere come son belle

Dimmi le tue bellezze dove ce l'àie
se mamma non le à fatte bella non sei
    (... cinicinnato ramenato scalcinato...
    nelle gambe di tua ma')

C

Ancona (Marche)

Io me ne vò io an dà ____ ver so Li vor no ____ do ve le don ne bel ____ le me la dan no ____ do ve le don ne bel ____ le me la dan no pri ma la bo na se ra e poi'l bon gior no. ____

[da F. B. Pratella]

Io me ne vòio andà verso Livorno
dove le donne belle me la danno
dove le donne belle me la danno
prima la bona sera e poi 'l bon giorno

D

Cerqueto di Fano Adriano, Teramo (Abruzzo)

Quan - to ci so' mes-sa a fa'n ca-stel - lo ____ e tut-ta mi di-ce - vo ca-stel-la - na. Do-po che l'ò di-pin-to e fat-to bel - lo e le chia-ve mi fo tol - to da le ma-ne. ____ So rem-

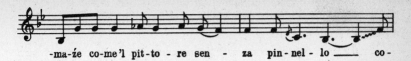

-ma-źe co-me 'l pit-to - re sen - za pin-nel - lo ___ co-

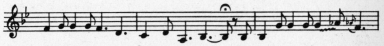

-me lo cac-ciator sen - z'ar-me in ma - no. ___ Co-me lo cac-ciato - r sen -

-z'ar me in ma - no ___ co-śì ò ri-ma-sta io con sen-za a-mo - re.

Quanto ci so' messa a fa 'n castello
e tutta mi dicevo castellana

Dopo che l'ò dipinto e fatto bello
e le chiave mi fo tolto da le mane

So remmaźe come 'l pittore senza pinnello
come lo cacciator senz'arme in mano

Come lo cacciator senz'arme in mano
cośì ò rimasta io con senza amore

Cośì ò rimasta io con senza amore
contenta vivarò se non mi more
contenta vivarò se non mi more

E
Cerqueto di Fano Adriano, Teramo (Abruzzo)

O rondinella che passi Potenza
salutamela tu la mia speranza

Digli che cośa fa che cośa penza
come l'ò tratto la mia lontananza
come l'ò tratto la mia lontananza

Digli che cośa fa che cośa vole
e come l'ò tratto lo lontan'amore
e come l'ò tratto lo lontan'amore

Vacci pensiero mio vacci in caśerma
e vacci da quel moretto che dorme in branda

Digli che cośa fa che cośa penza
e come l'à tratta la mia lontananza

Come l'à tratta la mia lontananza
e digli che io per lui vado alla tomba
e digli che io per lui vado alla tomba

Bibliografia

L. Neretti, *Fiorita di canti pop. toscani*, fasc. I-IV. Firenze 1942   [m]
M. Foresi, *Canti pop. toscani*, Firenze 1891   [m]
F. B. Pratella, *Primo documentario*, ecc., Udine 1941 (vol. 2)   [m]

Discografia

* (Orig) *Northern & Central Italy* (CWLFPM, vol. XV)   [B]
COL (USA) KL 5173
* (Orig)   *Italia*, vol. 3
ALBATROS VPA 8126 [E]

42. RITORNELLI

A
Roma (Lazio)

M'af - fa - cio a la fi - ne - stra_____ e ve - do

l'on - ne_____   ve - do le mi mi - śe - rie_____

____ che so' gran - ne_____   chia - mo l'a-mo - re

mi - o_____ non m'ar - ri - spon - ne_____   chia -

-mo l'a-mo - re mi - o_____ non m'ar-ri - spon - ne_____

[da E. Levi - A. Parisotti]

M'affaccio a la finestra e vedo l'onne
vedo le mi miśerie che so' granne
chiamo l'amore mio non m'arrisponne
chiamo l'amore mio non m'arrisponne

Traduzione

M'affaccio a la finestra e vedo le onde / vedo le mie miserie che sono grandi /
chiamo l'amore mio non mi risponde

B

Anagni, Frosinone (Lazio)

[da L. Colacicchi]

La mamma del mio amore l'accortellate
facíticele grosse le ferite
facíticele grosse le ferite
che ci spacca il coraccio come le rape

La mamma del mio amore pozz'esse acciśa
lo va dicendo ch'è poca la dota
lo va dicendo ch'è poca la dota
gliu figlio non possede la camicia

E lo mio amore mi ha detto la mora
io ci ò risposto lo scarto de leva
io ci ò risposto lo scarto de leva
quanto c'è dispiaciuta sta parola

Traduzione

La mamma del mio amore l'accoltellate / fategliele grosse le ferite / che le si spacchi il cuoraccio come una rapa

La mamma del mio amore possa essere uccisa / va dicendo che la dote è poca / suo figlio non possiede la camicia

Il mio amore mi ha detto nera / io gli ho risposto scarto di leva / quanto gli è dispiaciuta questa parola

Bibliografia

E. Levi, *Fiorita di canti trad. del popolo italiano*, Firenze 1926 (2ª ed., completa) [m]

L. Colacicchi, "Canti pop. di Ciociaria", in *Atti del III Congresso di Arti e Tradizioni popolari*, Roma 1936   [m]

Discografia

(Orig) *Folk Music from Italy*
FOLKWAYS P 520 A/D

43. LINGUA SERPENTINA
sequenza di stornelli
Ceriana, Imperia (Liguria)

Da dun - de ti ne ve - gnìo len - gua ser - pen - ti - na ti gh'ài di - tu al me a - mur che su - n pe - ci - na

Da dunde ne vegnì o lengua serpentina
ti gh'ài ditu al me amur che sun pecina

Se sun pecina sun de pocu tempu
basta che lu me amur serìa cuntentu

Amore amore amur fai che se pi-ému
se nu puremu viver stenteremu

Se nu puremu vivere e stentare
andremu su ste porte a dumandare

Se nu puremu vive ma su ste porte
n'andremu cian cianin fino a la morte

Traduzione

Da dove te ne vieni o lingua serpentina / hai detto al mio amore che son
piccina
Se son piccina sono giovane / basta che il mio amore sia contento
Amore amore amore fa che ci sposiamo / se non potremo vivere stenteremo
Se non potremo vivere e stentare / andremo a queste porte a elemosinare
Se non potremo vivere a queste porte / ce ne andremo pian pianino fino alla
morte

Discografia

* (Orig) *Italia*, vol. 3
ALBATROS VPA 8126

44. POLESANE
Bagolino, Brescia (Lombardia)

In questa sequenza di polesane è molto interessante la presenza del
ritornello a imitazione strumentale che rivela come un tempo questi

canti fossero eseguiti con accompagnamento strumentale (probabilmente violino), e usati per il ballo.

O Marietina voi se pur'ei bela
perche se bela vo sëré rubada

Perche se bela vo sëré rubada
sëré rubada in camera e in cucina

Sëré rubada in camera e in cucina
de quel s-cetén sëré la so spuśina

De quel s-cetén sëré la so spuśina
de quel s-cetén sëré la so rüina

De quel s-cetén sëré la so spuśina
de quel s-cetén sëré la so deśgrasia

Traduzione

O Mariettina voi siete pura e bella / perché siete bella voi sarete rubata
Perché siete bella sarete rubata / sarete rubata in camera e in cucina
Sarete rubata in camera e in cucina / di quel ragazzo sarete la sua sposina
Di quel ragazzo sarete la sua sposina / di quel ragazzo sarete la sua rovina
Di quel ragazzo sarete la sua sposina / di quel ragazzo sarete la sua disgrazia

Bibliografia

V. Giovannetti, *Le polesane della Valcamonica*, in "Riv. Trad. Pop." a. I, n. 3, 1894 [m]
A. Cornoldi, *Ande, bali e cante del Veneto*, Padova 1968   [m]
R. Leydi, *Le trasformazioni socio-economiche e la cultura tradizionale in Lombardia*, Milano 1972 [m]

Discografia

* (Orig) Disco allegato alla pubblicazione di R. Leydi cit. in Bibl.

45. STRANOT
Asti (Piemonte)

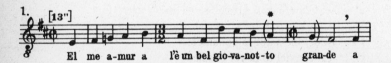

El me a-mur a   l'è un bel gio-va-not-to   gran-de a

* Il terzo e il quarto stranot sono ritmicamente più regolari. Possono essere cantati omettendo le note tra parentesi.

El me amur a l'è un bel giovanotto grande
a l'è nsüma la piazza smía an mercante
o sa smía an mercant ad mercansía
o che chièl al mercanda la vita mia

La mari del me amur l'è na stregasa
a i diś a lu so fiöl ca sun 'd cativa rasa
sa sun 'd cativa rasa sun méi che la sua
al so bel Gianun ca s' lu tenha a ca sua

La mari del me amur la vöi améla
en tel cantun del fö la vöi bütéla

quant i abbia pü nen 'd bosch la vöi brüséla
la mari del me amur la vöi améla

Mi di stranot na sö na tinha granda
a i'à mustràmie 'l prèive a mesa granda
mi di stranot na sö na tinha pinha
sa i'à mustràmie 'l prèive a la dutrinha

Traduzione

Il mio moroso è un bel giovanotto grande / in mezzo alla piazza e sembra un
mercante / sembra un mercante di mercanzia / o lui mercanteggia la vita mia
La madre del mio amore è una stregaccia / dice al suo figliolo che sono di
cattiva razza / se sono di cattiva razza sono meglio della sua / il suo bel
Giannone se lo tenga a casa sua
La madre del mio amore voglio amarla / nell'angolo del fuoco voglio metterla /
quando non abbia più legna voglio bruciarla / la madre del mio amore voglio
amarla
Io di strambotti ne so una tina grande / me li ha insegnati il prete a messa
grande / io di stranotti ne so una tina piena / me li ha insegnati il prete a
dottrina

Bibliografia

C. Nigra, *Canti pop. del Piemonte,* Torino 1888
G. Ferraro, *Canti pop. monferrini,* Torino 1870

Discografia

* (Orig) *Italia,* vol. 3
ALBATROS VPA 8126
(Folk) *Le nostre canssôn* (canta Roberto Balocco)
CETRA LPP 109

46. RUMANELE
Cento, Ferrara (Emilia)

Guar - da   che bel se - ren   se non se

nuv - la _____ che be - la no-te de __ ru-bar le

do - ne _____ chi ru-ba do-ne non __ si __ chia-man

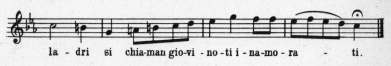

la - dri si chia-man gio-vi - no -ti i - na-mo - ra - ti.

[da M. Borgatti]

Guarda che bel serèn se non se nuvla
che bela note de rubar le done
chi ruba done non si chiaman ladri
si chiaman giovinoti inamorati

In mez al mer a gh'è un alberèin
c' tot i ann al prudüs di già fiurèin
toti el żòuvni el gàrden al colore
e quisti i en i fiurèin de l'amore

S'a füs na rundanèna per un'ora
vurìa vuler indov al mio bèin lavora
gli vurìa der un bagio in dla buchèna
vurìa bèin dir c'è stà la rundanèna

L'è pur al bel serèin se non s'anuvla
o pur un bel muròus se non mi burla
l' pur al bel serèin se non si guasta
o pur un bel moròus se non mi làsia

Traduzione

Guarda che bel sereno se non si annuvola / che bella notte per rubare le

donne / chi ruba donne non si deve chiamarlo ladro / si deve chiamarlo giovanotto innamorato
In mezzo al mare c'è un alberino / che tutti gli anni produce dei bei fiorellini /
tutti i giovani guardano al colore / e questi sono i fiorellini dell'amore
Se fossi una rondinella per un'ora / vorrei volare dove il mio bene lavora /
gli vorrei dare un bacio sulla bocchina / vorrei ben dire che è stata la rondinella
È pur bello il sereno se non si annuvola / oppure un bel moroso se non mi
burla / è pur bello il sereno se non si guasta / oppure un bel moroso se
non mi lascia

Bibliografia

M. Borgatti, *Fiori e romanelle del Centese*, in: "Il Folklore Italiano", a. I,
    fasc. 2/3, giugno-settembre 1925   [m] e a. II, fasc. 3/4, luglio 1927   [m]
M. Borgatti, *Romanelle del Centese*, in: *Id.*, a. XIV, fasc. 1, 1939
G. Ferraro, *Canti pop. di Ferrara, Cento e Pontelagoscuro*, Ferrara 1877

47. EL ME MURUŚ EL STA DE LA DEL SERE
sequenza di villotte
Ripalta Nuova, Cremona (Lombardia)

Questa sequenza di villotte lombarde presenta la permanenza, ormai rara, della cosiddetta "liolela", cioè del ritornello "nonsense" che
replica una esistente parte strumentale. Queste villotte erano probabilmente usate a ballo.

El   me mu-ruś el stà de là del Sè-re _____   l'è

pi - ci - nin ma'l gh'à le gam - be bè - le _____   l'è

pi - ci - nin ma'l gh'à le al - te 'u - s_____ el

pü - sé bel del mund l'è 'l me mu - ru - ś___ ia - ra - la -

-lal - la la - ra - la - lal - la la - ra - la - lal - la la - ra - la - là.   -là.___

El me muruś el stà de là del Sère
l'è picinin ma 'l gh'à le gambe bèle
l'è piscinin ma 'l gh'à le alte 'uś
el püsé bèl del mund l'è 'l me muruś
        iaralalalla laralalalla
        laralalalla laralalà

E mi stanot g'ò fat d'un sogno matto
sugnài che 'l me muruś al me stringeva 'l braccio
e me g'ò fat per daga d'un baśin
mi g'ò baśà la fodra dal cussin
        iaralalalla, ecc.

El me muruś l'è bel e po l'è bèl
al g'à dü rissulit sòta al capèl
al g'à dü rissulit d'una caviada
se lü l'è bel e me so inemurada
        iaralalalla, ecc.

El me muruś al m'à mandà una riga
al m'à mandat a di che me so nigra
e me g'ò riscuntrà d'una rigassa

se me so nigra lü l'è de la rassa
    iaralalalla, ecc.

El me muruś al m'à mandà una lètera
al m'à mandat a dì che me son puarèta
e me g'ò riscuntrà le so richesse
lü 'l porta la giachèta a punc'e pesse
    iaralalalla, ecc.

El me muruś el m'à mandà una nuś
al m'à mandat a dì che lü l'è spuś
e me g'ò riscuntrà d'una nisóla
se lü l'é spuś e me g'ò già una fióla
    iaralalalla, ecc.

Traduzione

Il mio moroso sta al di là del Serio / è piccolino ma ha le gambe belle / è
piccolino ma ha la voce forte / il più bello del mondo è il mio moroso
E io stanotte ho fatto un sogno matto / sognai che il mio moroso mi stringeva
il braccio / e io ho fatto per dargli un bacino / e ho baciato la fodera del
cuscino
Il mio moroso è bello e poi è bello / ha due ricciolini sotto il cappello / ha
due ricciolini e una capigliatura / se lui è bello io sono innamorata
Il mio moroso mi ha mandato una riga / mi ha mandato a dire che sono
nera / e io gli ho risposto una rigaccia / se io son nera lui è della razza
Il mio moroso mi ha mandato una lettera / mi ha mandato a dire che sono
poveretta / e io gli ho rinfacciato le sue ricchezze / lui porta la giacchetta a
rammendi e pezze
Il mio moroso mi ha mandato una noce / mi ha mandato a dire che lui è sposo /
io gli ho risposto con una nocciola / se lui è sposo io ho già una figlia

Bibliografia

G. Bollini e A. Frescura, *I canti della filanda*, Milano 1940   [m]
R. Leydi, *Le trasformazioni socio-economiche e la cultura tradizionale in Lombardia*, Milano 1972   [m]

Discografia

* (Orig)   *Italia*, vol. 3
ALBATROS VPA 8126

* (Orig)   Nel disco allegato alla pubblicazione di R. Leydi, cit. in Bibl.
* (Orig)   *E la partenza per me la s'avvicina*
dds ds 514/16

48.   VILLOTTE (con liolela)
Polesine (Veneto)

A
Ariano Polesine

Co' 'na for-nà de pan se fa la su-pa ___ co'

'na for-nà de pan se fa la su-pa ___ co' 'na for-nà de

pan se fa la su-pa ___ por-ca la vè-cia me la ma-gni tu-ta. ___

Coro: Di-rin-din-di-na di-rin-din-di-na di-rin-din-di-na

Di-rin-din-di-na di-rin-din-di-na di-rin-din-di-na

[da A. Cornoldi]

Co 'na fornà [1] de pan se fa la supa [2]
co 'na fornà de pan se fa la supa

[1] *infornata*
[2] *zuppa*

co 'na fornà de pan se fa la supa
porca de vècia [1] te me la magni tuta
    dirindindina dirindindina
    dirindindina dirindindà

B
Fratta Polesine e Donada

Tarantantàn ch'è morta la me vècia
tarantantàn ch'è morta la me vècia
tarantantàn ch'è morta la me vècia
no la me fa piú fògo a la pegnata [2]
    dirindindina dirindindina
    dirindindina dirindindà

C
Lendinara

Sièstu [3] pur benedéta a leto nuda
e mi co la camiśa tacà a un cioldo [4]
    dirindindina dirindindina
    dirindindina dirindindà

D
Donada

Só tanto intavanà [5] co la mia mama
só tanto intavanà co la mia mama
só tanto intavanà co la mia mama
ca non mi à fato na belessa [6] al mondo
se la mi avesse fato un po' piú bela
se la mi avesse fato un po' piú bela

---

[1] *vecchia* (per moglie)
[2] *non mi fa più fuoco sotto la pignatta*
[3] *sei*
[4] *chiodo*
[5] *risentita, arrabbiata*
[6] *bellezza*

se la mi avesse fato un po' piú bela
pararìa [1] la regina de la tera
se la mi avesse fato un po' piú bruna
se la mi avesse fato un po' piú bruna
se la mi avesse fato un po' piú bruna
sarìa [2] la regina de qualcuna
    dirindindina dirindindina
    dirindindina dirindindà

Só tanto intavanà sibèn [3] ca rido
ca m'è scapà l'ośel [4] fora dal nido
só tanto intavanà sibèn ca canto
ca m'è scapà l'ośel fora dal campo

Bibliografia

A. Cornoldi, *Ande, bali e cante del Veneto*, Padova 1968   [m]
P. Mazzucchi, *Vecchi canti pop. del Polesine*, Badia Polesine 1929

49. RISPETTI
Valdichiana (Toscana)

Gio-va-nüt-tin che ve-sti de tur-chi-no ___ in meź-ź'al

pet-to m'ap-pi-cia-sti il fò-co ___ quan-do ce se-te vo' mio bel vi-

---

[1] *sembrerei*
[2] *sarei*
[3] *sebbene*
[4] *uccello*

-śi - no io de que-st'al - tri me ne cu - ro pò - co quan-de gua-

-ì - te vo' mio dol-ce amo-re me par che'l fal-co me scar-dic-chi'l co - re.

[da R. L. Billi]

Giovanuttin che vesti de turchino
in meźź'al petto m'appiciasti il fòco
quando ce sete vo' mio bel viśino
io de quest'altri me curo pòco
quande guaìte vo' mio dolce amore
me par che 'l falco me scardicchi 'l còre

Passa que' colli e vieni allegramente
non te curar de tanta compagnia
vieni pensando a me segretamente
ch'io te accompagno per tutta la via
io te accompagno per tutta la strada
ricordati de me speranza cara

Bibliografia

Tutte le raccolte di canti toscani portano gran numero di testi di rispetti. Ne
citiamo alcune, con particolare riguardo alle collezioni con musica:
G. Tigri, *Canti pop. toscani*, Firenze 1856 (altre ed. arricchite, 1860, 1869)
G. Giannini, *Canti pop. toscani*, Firenze 1921
Id., *Canti pop. della montagna lucchese*, Torino 1889
L. Neretti, *Fiorita di canti pop. toscani*, 4 fasc., Roma 1929   [m]
F. B. Pratella, *Primo documentario*, ecc. vol. 2, Udine 1941   [m]

Discografia

(Rev)   *La veglia* (canta Caterina Bueno)
DDS DS 155/157/CL
(Rev)   *La Toscana di Caterina* (id.)
TANK MTG 8010
(Rev)   *La Brunettina* (id.)   DDS DS 22 (17)
(Rev)   *Canzoniere toscano* (id.)   CETRA LPP 216

50. SONETTI
Roma (Lazio)

Largamente

Bbel - la quan-no te fe - ce ___ mam-ma tu - a ___

cre-do che stied'un an-no 'n - gi-noc-chio-ne ___ ep-po - i se mes-se

n'an-gel'ap-pre - ga-re ___ bbel-la t'a-ves-se fat - to com er so-le ___

poi te man-nò da Cu-pid' a mpa - ra - re ___ e im - pa-ras-si

li ver - si d'a - mo-re ___ e quan-no cu-min-cias-si a ccom-pi -

-ta-ne ___ ve - nis-si bbel-l'e m'ar - ru - ba-si er co-re. ___

[da A. Parisotti]

Bbella quanno te fece mamma tua
credo che stied' un anno 'nginocchione
eppoi se messe 'n angel' a ppregare
bbella t'avesse fatto com' er sole
poi te mannò da Cupid' a mparare

e imparassi li versi d'amore
e quanno cuminciassi a ccompitane
venissi bbell' e m'arrubbassi er core

Traduzione

Bella quando mamma tua ti fece / credo che stette un anno in ginocchio /
e poi si mise a pregare l'angelo / che bella ti facesse come il sole / poi ti
mandò da Cupido a imparare / e imparasti i versi d'amore / e quando co-
minciasti a compitare / venisti bella e mi rubasti il cuore

Bibliografia

A. Parisotti, *Melodie pop. romane*, in "Riv. di lett. pop. ", 1878   [m]

51. CANZUNA
Capaci, Palermo (Sicilia)

La canzuna siciliana è solitamente costruita su sei o otto endecasillabi.[1]

E fig-ghiuz - za'nta _____ lu suon -

- no mi

-i ___ vi-ni - sti e du' pa - ru-led-

[1] Riguardo la funzione e il contenuto le canzoni assumono talora denominazioni diverse.
È una forma generale che può essere utilizzata per varie funzioni e con diversissimi
contenuti. Il testo qui pubblicato viene dal repertorio di un carrettiere, anche se
nel testo non vi è alcun riferimento a quel mestiere e a quella condizione. Si vedano,
in questa stessa raccolta, i canti nn. 95 (*Canto di carrettiere*) e 112 (*Vicariote*, cioè canzoni di carcere).

-ta — — — ri e un miu_____ a
nud — du_____ chia - gni mug-
-ghie — — ri mi — — — a ma-
-ri — — — tu per — — su.

Figghiuzza 'nta lu suonno mi vinisti
e du' paruleddi ruci e ti nni isti
e a la matina o quannu mi śvigghiau
e ca mi sinteva ch'era a lu me latu
mi vàiu pi vutari e un mìu a nuddu
chiagni mugghieri mia maritu persu

Traduzione

Figliola nel sonno sei venuta a me / due paroline dolci e te ne andasti / e la
mattina quando mi svegliai / e sentivo che eri al mio fianco / vado per vol-
tarmi e non vedo nessuno / piangi moglie mia marito perduto

Bibliografia

A. Favara, *Corpus di canti pop. siciliani*, Palermo 1967   [m]
G. Pitré, *Canti pop. siciliani*, Palermo 1870 (altre ed. 1891, Roma 1940)

Discografia

*(Orig)   *Italia*, vol. 3
ALBATROS VPA 8126

*(Orig) *Canti pop. siciliani*
ANGELICUM BIM 24
(Orig) *Southern Italy & the Island* (CWLFPM, vol. XVI)
COL (USA) KL 5174
(Orig) *Sicily in Song & Music*
ARGO DA 30

52. IL MURATORE
sequenza di villotte
Vimodrone, Milano (Lombardia)

O mam-ma la mia mam-ma il mu - ra - to - re l'à

fa-bri-cà 'l pu-giö per far l'a - mo - re   l'à fa-bri-cà 'l pu-giö che 'l
l'à fa-bri-cà 'l pu-giö che 'l

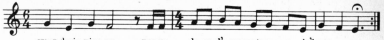

guar-da in pias-sa   per ve - de-re l'a-mor mio ma quando'l pas - sa.
guar-da in cor - te   per ve - de-re l'a-mor mio an-dar la mor - te.

O mamma la mia mamma il muratore
l'à fabricà 'l pugiö [1] per far l'amore
l'à fabricà 'l pugiö che 'l guarda in piassa
per vedere l'amor mio ma quando 'l passa
l'à fabricà 'l pugiö che 'l guarda in corte
per vedere l'amor mio andar la morte

[1] *balcone*

O mamma la mia mamma vü si bella
vü si la rośa e mi sun la ramèlla [1]
vü si la rośa che compagna 'l fiore
e mi sun la ramèlla ma dell'amore
vü si la rośa che compagna 'l fiore
e mi sun la ramèlla ma dell'amore

Stanotte il mio giardin l'è stato aperto
le rośe più gentil son sta rubate
vü se sapessi che l'è sta 'l mio amore
ci donerei la rośa che l'è un bel fiore
ma se sapessi che l'è sta 'l mio amante
ci donerei le rośe e poi le piante

In fondo al mio giardin c'è un perseghino [2]
e su quel perseghin c'è un uccellino
el g'à la penna d'ora [3] in sü la cùa [4]
chi g'à la donna bella l'è minga sua [5]
el g'à la penna d'ora in sü la cùa
chi 'l g'à la donna bella l'è minga sua

Discografia

* (Rev) *E per la strada* (canta Sandra Mantovani)
DDS DS 143/45
* (Folk) *Milanese* (canta Nanni Svampa)
DURIUM DS AI 77252
* (Rev) *Canson su la lobia* (canta il Gruppo del Portone)
FOLKLORE F 10034

[1] *ramettino*
[2] *piccolo pesco*
[3] *oro*
[4] *coda*
[5] *chi ha la donna bella non è sua* Questo verso è il risultato di un intervento apertamente satirico su un testo esemplarmente eufemistico. Conosciamo infatti una lezione raccolta in Canavese (v. A. Vigliermo, *Canti pop. noti nell'Alto Canavese*, Ivrea,
1971) ma quasi sicuramente portata dalla Lombardia (anche per i caratteri lessicali
e sintattici del testo) in cui figura la seguente strofa:
> In fondo a quel giardin c'è un perseghino
> in cima a quella pianta c'è un uccello
> che à la penna d'oro sulla coda
> che à l'amante bella che lo consola

53. STROFE VARIE

Le forme cosiddette "lirico-monostrofiche" si manifestano in strutture metriche anche differenti da quella forse dominante in endecasillabi. Frequenti sono gli impianti su ottonari (vedi *Vilote ottonarie*, n. 57) e su settenari. In alcuni casi si hanno forme miste.

A
Monticelli d'Oglio, Brescia (Lombardia)

Questo testo ci è giunto come ninna nanna. Sembra essere, in realtà, un canto lirico arcaico, uscito dall'uso come tale e rifunzionalizzato come ninna nanna.

A - mur a-mur a - mur a-mur - an-då —

per te mu-ri-na gh'òi tre-scà la   fan-gå — gh'òi tre-scà la fan-gå gh'òi

tre-scà le po-ce   per te mu-ri-na gh'òi le scar-pe   ro-te oo.

Amur amur amur amurandå
per te murina gh'òi trescà la fangå
g'òi trescà la fangå
g'oi trescà le poce
per te murina g'òi le scarpe rote – oo

Traduzione

Amore amore amore amorando / per te morina ho pestato il fango / ho pestato il fango / ho pestato le pozzanghere / per te morina ho le scarpe rotte

B
Aprato-Tarcento, Udine (Friuli-Venezia Giulia)

Canto raccolto nel 1902, da un gruppo di operai friulani ritornati dal lavoro stagionale in Austria.

[da E. Adaiewski]

Volin bevi e torni a bevi
di chel vin cal è tan bon
amor amor amor
volin bevi e torni a bevi
di chel vin cal è tan bon
amor amor amor
che la biondina la g'à un bel fior

  Evviva Vienna
  evviva Vienna bella città
  evviva bella
  evviva bella le inamorà

Traduzione

Vogliamo bere e tornare a bere / di quel vino che è tanto buono / amor amor
amor / che la biondina ha un bel fior

C

Aprato-Tarcento, Udine (Friuli-Venezia Giulia)

[da E. Adaiewski]

O benedet l'amor dei giovin
che al fa star il cur alegri
o benedet l'amur dei giovin
che al fa star il cur content
    dinghe dinghe dinghe dinghe dinghe dinghe lai la la
col trai la la oi la la le li la
    oi la la oi la la le li le
    delizia del mio cuor

Traduzione

O benedetto l'amore dei giovani / che fa stare il cuore allegro / o benedetto l'amore dei giovani / che fa stare il cuore contento

Bibliografia

R. Leydi, *Trasformazioni socio-economiche e cultura tradizionale in Lombardia*, Milano 1972   [m]

E. Schulze Adaiewski, *Villotte friulane*, in "Rivista Musicale Italiana", a. XVI, fasc. 1, 1909   [m]

Discografia

* (Orig)   Disco allegato alla pubblicazione cit. in Bibl. [A]

54.   QUANDO CHE SENTO A BATTER LA SCURIADA
Cologno al Serio, Bergamo (Lombardia)

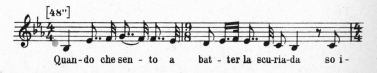

Quan-do che sen - to a   bat - ter la scu-ria-da   so i -

-ne - mo - ra - da d'ön ca - ret - tie - r oi - lè so i -

Quando che sento a batter la scuriàda [1]
so inemorada d'ön carettier
oilé so inemorada
oilé so inemorada
oilé so inemorada oilé d'ön carettier

Quel carettiere l'è sempre in baracca
e mai si stanca del suo mestier
e mai e mai si stanca
oilé e mai si stanca
oilé e mai si stanca oilé del suo mestier

Quel carettiere l'è sempre intorno
la notte e il giorno l'è mai con me
oilé la notte e il giorno
oilé la notte e il giorno
oilé la notte e il giorno oilé l'è mai con me

[1] *schiocco della frusta*

E la rovina l'è stata la me mamma
col darmi troppo la libertà
oilé col darmi troppo
oilé col darmi troppo
oilé col darmi troppo oilé la libertà

Bibliografia

F. B. Pratella, *Primo documentario*, ecc., Udine 1941 (vol. 1) [m]

Discografia

* (Rev) *E per la strada* (canta Sandra Mantovani)
Dds DS 143/45

Per un'altra versione:
(Orig) *E la partenza per me la s'avvicina*
Dds DS 514/16

55. CANTO A VATOCCU

Questo e il canto che segue testimoniano di un tipo particolare e molto interessante di polivocalità che oggi, in Italia, è presente dall'Abruzzo al Molise e poi in Istria e nell'isola di Krk, ma che un tempo, presumibilmente, doveva aver diffusione in tutto l'Adriatico settentrionale.

Tracce di questo tipo di polivocalità si trovano in Romagna e nella Laguna Veneta.

Il *vatoccu* è il batacchio della campana e probabilmente questo nome (o *batoccu*) è stato applicato in Abruzzo, Umbria e Marche a un tipo di canto perché in esso le due voci battono e ribattono fra loro, appunto come fa il batacchio.

In Istria questo tipo di polivocalità ha altri nomi, come *canto a pera* (cioè "a coppia", *canto a la longa* (cioè "alla lunga"), ecc.

Nella sua forma più semplice e tipica questo genere di canto si presenta con un testo di tre endecasillabi (il secondo ripetizione del primo) e utilizza qualsiasi materiale testuale di tipo "lirico-monostrofico" (su base di distico). È eseguito da due voci (per lo più un uomo e una donna, ma anche due uomini o due donne). La prima voce canta il primo endecasillabo, quindi interviene la seconda voce che canta, con la prima, il secondo (ripetizione del primo) e il terzo. L'impianto è simile a quello del "discanto" medievale e molto probabilmente testimonia la permanenza di uno stile polivocale antico-europeo. A seconda delle varie aree tra le due voci si determinano intervalli di terza, sesta, ottava e assai spesso di seconda e di quarta.

A
Macerata (Marche)

[da G. Ginobili]

Vi do la bonasera car' amore
o vi do la bonasera car' amore
chi sa se ci potremo arivedere

B
Pretola, Perugia (Umbria)

Sia-mo ar-ri-va-ti al-la ci-ma ci-ma   a-

-mor se mi vuoi ben dim-me-lo pri - ma   e a-

-mor se mi vuoi ben dim-me-lo pri - ma   a-

-mor se mi vuoi ben dimme-lo pri - ma ___ e a-mor se mi vuoi

be - n dim - me-lo pri - ma e a-mor se mi vuoi ben dimme-lo

pri-ma a _____ di le __ li la _____ lo.

Con voi carina non ciò mai cantato
e per la prima volta vi saluto
e per la prima volta vi saluto
e per la prima volta vi saluto
e per la prima volta vi saluto
e per la prima volta vi saluto
la li le le la lo [1]

Siamo arrivati alla cima cima
amor se mi vuoi ben dimmelo prima

Amore amore non me le fa tante
son piccolina e me le tengo a mente

Lasciatela cantà sta bella coppia
mi pare il bottolone e la ranocchia

Se la padrona non ci porta il vino
doman farem fumà 'n antro camino

Cantate voi di là che noi cantiamo
se non cantate la burla vi diamo

Bibliografia

G. Ginobili, *Canti popolareschi piceni*, 4ª raccolta, Macerata 1944   [m]

Discografia

* (Orig)   *Alla todina*
CEDI TC 85005 [B]
* (Orig)   *Italia*, vol. 3
ALBATROS VPA 8126 [B]
(Orig)   *Northern & Central Italy* (CWLFPM, vol. XV)
COL (USA) KL 5173

---

[1] Le strofe che seguono hanno la medesima struttura.

56. CANTO A LA LONGA
Gallesano, Istria (Jugoslavia)

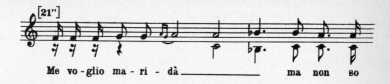

Me vo-glio ma-ri-dà _____ ma non so

quan-do _____ ma _____ non so quan-do. _____

Son stata a Roma non g'ò visto 'l papa
g'ò visto delle belle o romagnole

le romagnole porta ma la traversa [1]
le venesiane il fasoleto in testa

Me voglio maritar ma non so quando
aspeto che 'l mio amor diventi grando

Bibliografia

G. Radole, *Canti pop. istriani*, Firenze 1965 [m]
Id., *Rapporti tra canti pop. italiani e croati in Istria*, in: "Lares", a. XXXI, fasc. 3/4, luglio-dicembre 1965 [m]

Discografia

* (Orig) *Italia*, vol. 3
ALBATROS VPA 8126

[1] *grembiule*

57. VILOTE OTTONARIE

La vilota o villotta in versi ottonari ha una amplissima presenza in tutta l'Italia settentrionale ma sembra aver avuto il suo centro di diffusione nel Veneto. In Friuli, la vilota di questo tipo ha funzione preminente nel repertorio e ha avuto ampio sviluppo storico, fino all'attuale stilizzazione e corruzione.

La vilota friulana così com'è oggi eseguita dai vari gruppi corali organizzati (e, per inevitabile diffusione, anche a livello popolare) ha ben poco in comune, musicalmente, con la vilota tradizionale che ancora sopravvive in qualche zona periferica del Friuli, soprattutto nelle comunità di cultura in parte slava. La vilota tradizionale, infatti, è caratterizzata da melodie di tipo modale, anche quando si manifesta un centro tonale riconoscibile, con un andamento per intervalli di quarta discendente.

La vilota friulana moderna (formatasi nella seconda metà del secolo scorso nella scia di una scorretta ripresa di interesse per la cultura "nazionale" friulana) è un prodotto allineato a moduli genericamente di tipo alpino, con armonizzazione per terze e andamento melodico tonale e per intervalli di seconda e di terza. I legami della vilota antica con la cultura musicale slovena sono andati del tutto perduti.

Un esempio di melodia vilotistica antica, raccolta ad Aprato-Tarcento (Udine) da E. Adaiewski è il seguente:

Diamo alcuni testi di vilote venete e propriamente friulane.

A
Aprato-Tarcento, Udine (Friuli-Venezia Giulia)

To Ni - ni - ne duàr con - ten - te to Ni -

-ni-ne to Ni-ni-ne duàr con-ten - te to Ni - ni - ne duàr con-

-ten - te sun chel__ lie - te sun chel lie - te dul-ci - nòs.

[da E. Adaiewski]

To Ninine duàr contente
to Ninine duàr contente
to Ninine duàr contente
sun chel liete dulcinòs

Pensi siempre se tu puòdis
pensi siempre se tu puòdis
pensi siempre se tu puòdis
el pensier del to moros

Traduzione

Tu Ninetta dormi contenta / su quel letto dolce
Pensa sempre se lo puoi / il pensiero del tuo moroso

B
Donada, Rovigo (Veneto)

Moderato

Ma-ma mi - a da-me un fran - co ca me com - pra 'na ca-

-pè-la co' tre   me-tri_de cor - de-la la ca - pè-la_voi por-tar.

[da A. Cornoldi]

Mama mia dame un franco
ca me compra 'na capèla
e si ben ca no son bèla
la capèla voi portar

Mama mia dame un franco
ca me compra un fazzoletto
col ricamo e col merleto
col ritrato del mio bèn [1]

Traduzione

Mamma mia dammi un franco / che mi compri un cappello / e sebbene non
sia bella / il cappello voglio portare
Mamma mia dammi un franco / che mi compri un fazzoletto / con il ricamo
e con il merletto / con il ritratto del mio bene

Bibliografia

Testi di vilote ottonarie sono in molte raccolte di canti veneti. Ne citiamo al-
cune, con speciale attenzione a quelle con musiche:
E. Schulze Adaiewski, *Villotte friulane*, in "Rivista Musicale Italiana", a. XVI,
    fasc. 1, 1909   [m]
A. Cornoldi, *Ande, bali e cante del Veneto*, Padova 1968   [m]
Soc. Filologica Friulana "G. I. Ascoli", *Villotte e canti pop. friulani*, fasc. 1 e
    2, Udine, 1930-31, fasc. 3, Firenze, 1932   [m]

Discografia

(Orig)   *Northern Italy* (CWLFPM, vol. XV)
COL (USA) KL 5173
(Orig)   *Le stagioni degli Anni '70*
DDS DS 508/513

Vi sono poi molti dischi di gruppi corali, più o meno numerosi, che eseguono

---

[1] È probabile il riferimento alla formazione della dote.

vilote friulane in forma assai sofisticata. Fra i tanti ne citiamo uno in cui il materiale è scelto con una certa accuratezza:
(Folk) *Canti popolari friulani* (Quartetto Stella Alpina di Cordenons)
RICORDI SMRP 9057

58. MUTU
Orgosolo, Nuoro (Sardegna)

Il mutu (e il mutettu) sono le forme fondamentali del canto tradizionale sardo. Le due forme non sono esattamente separabili perché intimamente connesse e perché usate spesso indifferentemente, sia nell'uso che nelle opere degli studiosi. In termini generali si può dire che il mutu è soprattutto diffuso nell'area nuorese-logudorese, mentre il mutettu è proprio dell'area campidanese.

Sia l'uno che l'altro usano di preferenza il verso settenario, più raramente l'ottonario, eccezionalmente l'endecasillabo. Entrambi, poi, presentano una singolare struttura che è propria di queste due forme della musica popolare sarda.

Indicheremo questa struttura utilizzando il mutu di seguito pubblicato.[1]

Abbiamo innanzi tutto una "esposizione" con un numero variabile di versi (minimo due, normalmente tre o quattro, massimo undici o tredici). Questa "esposizione" è detta *istérria*. Il nostro testo ha una *istérria* di tre versi:

> *Anninni' anninnia*
> *canta sa pastorella*
> *con boghe armoniosa*

La struttura del mutu prevede uno sviluppo, detto *torrada*, che "sviluppa" il materiale contenuto nell'*istérria*. La *torrada* si compone di tante *cambas* quanti sono i versi della *istérria* e ogni *camba* ini-

---

[1] È un mutu femminile, cantato senza accompagnamento. Nella forma del mutu si hanno, in Sardegna, esecuzioni diverse: voce sola, voce e chitarra, più voci (*tenores, tasgia*, ecc.).

zia con uno dei versi della *istérria*, solitamente nell'ordine (prima *camba* primo verso, seconda *camba* secondo verso e così via). Al verso assunto dalla *istérria* la prima *camba* aggiunge due o più versi nuovi. Le cambas successive utilizzano a loro volta, per *torrare*, questi materiali. Questa struttura così particolare è chiarissima nel canto pubblicato.

s'a-mo-re be-nì - a   Zes-s'i-te bel - la co - sa.____

[da P. Sassu]

istérria   Anninni' anninnia
             canta sa pastorella
             cun boghe armoniośa

torrada
camba 1   E anninni' anninnia
             Źess'ite cośa bella
             Źess'ite bella cośa
             si s'ispośu benìa

camba 2   E canta sa pastorella
             si s'amore benìa
             Źess'ite bella cośa
             Źess'ite cośa bella

camba 3   E cun boghe armoniośa
             Źess'ite cośa bella
             si s'amore benìa
             Źess'ite bella cośa

Traduzione

Anninni' anninnia / canta la pastorella / con voce armoniosa
Anninni' anninnia / Gesù che cosa bella / Gesù che bella cosa / se venisse lo sposo
Canta la pastorella / se l'amore venisse / Gesù che bella cosa / Gesù che cosa bella
Con voce armoniosa / Gesù che cosa bella / se l'amore venisse / Gesù che bella cosa

Bibliografia

D. Carpitella, P. Sassu, L. Sole, *La musica sarda*, Sassari-Milano 1972   [m]
Testi di mutos e mutettus di varie parti della Sardegna sono ovviamente in tutte le raccolte di testi popolari sardi. Citiamo i principali:

E. Bellorini, *Canti pop. amorosi raccolti a Nuoro*, Bergamo 1893
V. Cian e P. Nurra, *Canti pop. in dialetto logudorese*, Torino-Palermo 1893-1896 (2 voll.)
R. Garzia, *Mutettus cagliaritani*, Bologna 1917
G. Ferraro, *Canti pop. in dialetto logudorese*, Torino 1891
P. Moretti, *Poesia pop. sarda. Canti dell'Ogliastra*, Firenze 1958

Per lo studio della struttura dei mutos e mutettus:
A. M. Cirese, *Struttura e origine morfologica dei mutos e mutettos sardi*, Cagliari 1964
E. Chironi, *La poesia pop. nel Nuorese*, in "Il Folklore Italiano", a. I, fasc. 4, dicembre 1925 e a. II, fasc. 1, ottobre 1926 e fasc. 2, marzo 1927

Per la musica:
G. Fara, *Canti di Sardegna*, Milano 1923   [m]
Id., *L'anima della Sardegna*, Udine 1940   [m]

Discografia

* (Orig)   *La musica sarda*, vol. 1
ALBATROS VPA 8150
(Orig)   *La musica sarda*, vol. 2
ALBATROS VPA 8151
(Orig)   *La musica sarda*, vol. 3
ALBATROS VPA 8152
(Orig)   *Italia*, vol. 3
ALBATROS VPA 8126
(Orig)   *Folk Music from Italy*
FOLKWAYS P 520

59.   SAM IN VŬ SAM IN DÜ
canzone numerativa
Cassago, Como (Lombardia)

Sono dette "numerative" quelle canzoni che fondano la successione delle strofe su una sequenza numerica. Appartengono a un più vasto gruppo di canti che comprende anche le canzoni dette "alfabetiche" (nelle quali la successione delle strofe è condizionata dalla sequenza alfabetica) e quelle cumulative (che sono spesso anche "numeriche" o più raramente "alfabetiche"). Altre sequenze condizionanti sono talora i giorni della settimana o i mesi dell'anno. Qualche volta (come nel caso della canzone qui pubblicata) il canto si sviluppa anche per moto retrogrado (cioè all'indietro).

I canti di questo tipo hanno radici certamente arcaiche (anche se si presentano in dettati testuali e musicali recenti) e si collegano a funzioni didattico/mnemóniche (far ricordare nozioni) o a funzioni magiche.

Sam in vŭ sam in dü sembra collocarsi nell'ambito di un divertimento da osteria, ma un collegamento con più antichi canti funzionali potrebbe forse essere cercato.

-dà   la stra - da   l'è lar - ga   bi - so - gna mar - ciar.

Sam in vũ sam in dü
sam amiś tüt e dü
sam in dü sam in tri
sam tüt istes partì
sam in tri sam in quàter
sam tüti istès caràter
sam in quàter sam in cinch
sam in gir a vent i stringh
sam in cinch sam in seś
me piasc i scireś
sam in seś sam in sèt
sam in gir a vent i culzèt
sam in set sam in vot
me piaś ul riśot
sam in vot sam in nöf
sam in gir a vent i öf
sam in nöf sam in deś
sam tüt milaneś
la strada l'è larga
biśogna marciar
tirulì tirulà – da bravi suldà
tirulì tirulà – da bravi suldà
tirulì tirulà – da bravi suldà
la strada l'è larga
biśogna marciar
sam in deś sam in nöf
sam in gir a vent i öf
sam in nöf sam in vot
me piaś ul riśot

sam in vot sam in sèt
sam in gir a vent i culzèt
sam in set sam in seś
me piasc i scireś
sam in seś sam in cinch
sam in gir a venti i stringh
sam in cinch sam in quàter
g'àn tüti istes caràter
sam in quàter sam in tri
sam tüti istes partì
sam in tri sam in dü
sam amiś tüt e dü
sam in dü sam in vü
sam pü de nisün [1]
la strada l'è larga
biśogna marciar

Traduzione

Siamo in uno siamo in due / siamo amici tutti e due / siamo in due siamo in tre
/ siamo tutti dello stesso partito / siamo in tre siamo in quattro / siamo tutti
dello stesso carattere / siamo in quattro siamo in cinque / siamo in giro a vendere
le stringhe / siamo in cinque siamo in sei / mi piacciono le ciliege / siamo in sei
siamo in sette / siamo in giro a vendere le calzette / siamo in sette siamo in otto
/ mi piace il risotto / siamo in otto siamo in nove / siamo in giro a vendere le
uova / siamo in nove siamo in dieci / siamo tutti milanesi / ecc.

Bibliografia

R. Leydi, *Le trasformazioni socio-economiche e la cultura tradizionale in Lombardia*, Milano 1972   [m]

Discografia

* (Orig)   Disco allegato alla pubblicazione cit. in Bibl.
* (Folk)   *Milanese* (canta Nanni Svampa)
DURIUM MS AI 77252

---

[1] *non siamo più nessuno*

V
Contrasti

Si chiamano "contrasti" quelle gare poetiche, recitate e più spesso cantate, che oppongono due improvvisatori e sono ancora frequenti in Toscana, nel Lazio e anche altrove, se pur con minor fortuna, nell'Italia centro-meridionale e in Sicilia. Il contrasto è per lo più appoggiato all'ottava di endecasillabi.

Ma "contrasti" si dicono anche quelle canzoni non improvvisate che presentano forma a dialogo, con due personaggi appunto fra loro in contrasto. Tipi classici di contrasti di questo genere sono quelli fra povero e ricco, fra padrone e contadino, fra cittadino e paesano, fra suocera e nuora, fra madre e figlia, fra marito e moglie. È assai probabile che alcuni di questi canti rappresentino la forma cristallizzata di veri contrasti a due (lo sono certamente certi "padrone/contadino", "povero/ricco" dell'uso toscano, per esempio), chiusi oggi in forma autonoma.

In generale, come testimoniano anche gli esempi che qui pubblichiamo, i contrasti improvvisati e quelli da cantastorie utilizzano modelli melodici standard e assai semplici; le canzoni a contrasto poggiano su melodie autonome, per lo più allegre e con un andamento quasi "a ballo".

60. CONTRASTO FRA AMERICA E RUSSIA
Contrasto improvvisato
Arezzo (Toscana)

È questa una parte di un vero e proprio contrasto improvvisato, su un tema proposto nella migliore tradizione toscana.

Una delle difficoltà del "contrasto" è la presenza delle cosiddette ottave incatenate. Cioè ogni "contendente" è obbligato a utilizzare come prima rima (A) quella proposta dal suo avversario negli ultimi due versi (C) dell'ottava precedente. Come nell'esempio del disco si ha anche la spezzatura dell'ottava, un verso per ciascuno, in un dialogo più serrato e in un più difficile gioco di rime.

Il contrasto di cui è pubblicata qui la conclusione (intero dura oltre venti minuti) è stato improvvisato da due eccellenti improvvisatori aretini, entrambi commercianti ambulanti (uno, Guerriero Romanelli, di confezioni, l'altro, Renato Livi, di formaggi), che impersonano la Russia e l'America.

L'impianto melodico delle ottave usate dagli improvvisatori è costante e serve di supporto alla parola.

Con il tuo par - la - re un te ne fai le spe - - - se De Gol - le ti ha fir - ma - to

e nel-la NA - - - - TO ma non fu

che pre-ci-so ___ e ne pa - le - se ___ il mon-do in-

-te-ro tu l'ai ro-vi-na - - - - to. Con

i tuoi di - scor-si ___ e le tue im-pre - se ___

per quan-ta gen-te tu l'ai 'ntu - sia - sma - -

- - to chi vuol be-ne al-la fal - ce col mar -

-tel - lo che la per de la te sta col cer vel lo.

[49"] [Russia]

I - o par-la - vo ___ di un po - po-lo ___ mo -

-del - lo par-la-vo ___ di co-scien - za e
san-gue al cuo-re par - la-vo del-la pa-ce e qui mi ap-pel-lo ___
par-la-vo ___ di un i-stin - to su - u-pe-rio - - -re. Ma tu a-me-ri-can sei sem - pre - e quel - - lo guer-ra-fon-da-io e più di-strug-gi - i-to - - - o - re sem-bra la ter-ra lo tra-smet-ta al
so-le o- pa-ce o pa-ce nel mon-do ci vuo - - le.

America   Col tuo parlare un te le fai le speśe
De Golle ti firmato e nella NATO
ma non fu che preciśo e ne paleśe
il mondo intero tu l'ài rovinato.

Con i tuoi discorsi e le tue impreśe
per quanta gente tu l'ài 'ntuśiaśmato:
chi vuol bene a la falce col martello
che la perde la testa col cervello

Russia   Io parlavo di un popolo modello,
parlavo di coscienza e sangue al cuore,
parlavo della pace e qui mi appello,
parlavo di un istinto superiore.
Ma tu american, sei sempre quello,
guerrafondaio e più distruggitore:
sembra la terra lo traśmetta al sole
o pace, o pace nel mondo ci vuole.

America   Tu non voi le chieśe e né le scuole,
soltanto tu mi parli politicamente.
Dimmi come la porti la tua prole
in questo mondo bello e avvenimente.
Ma dimmi, quel sovietico che vuole?
Noi ai sovieti un li chiediamo niente:
basta con la tua falce e la bandiera rossa
perchè il mondo metti in una fossa.

Russia   Calma, è la parte mentale ti si è scossa

America   Io sono di America la gran partita

Russia   Ma nel Vietnam l'ài fatta grossa

America   All'Europa me ne dò la vita

Russia   Da noi la pace c'è, bandiera rossa

America   Però la prima palla di dov'è partita?

Russia   Io son russo e ti tendo la mano,
facciam la pace, o bravo americano.

Discografia

*(Orig) *Italia*, vol. 2
ALBATROS VPA 8088
(Rev) *Canzoniere toscano* (canta Caterina Bueno)
CETRA LPP 217
(Folk) *Cittadini e contadini* (canta Canzoniere Internazionale)
ZODIACO VPA 8135

61. I PATTI AGRARI
contrasto da cantastorie
Bologna (Emilia)

Questo contrasto continua oggi la grande tradizione popolare del
contrasto fra padrone e contadino. È cantato sulle piazze emiliane dal
cantastorie bolognese Marino Piazza (autore anche del testo). Suo in-
terlocutore Bobi, compagno da anni nel mestiere di cantastorie.

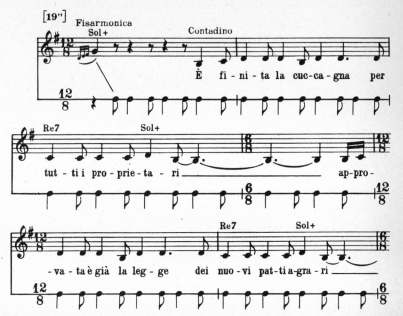

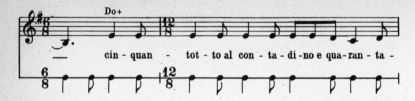

cin - quan - tot - to al con - ta - di - no e qua - ran - ta -

-du - e al pa-dron   a-qua lu-ce e gas   e u-na bel-la a-bi - ta-zion.

Marino Piazza	* Bobi e Piazza Marino [1]
	fanno la battaglia
	del padrone e contadino
	Bobi che è un bravo lavoratore
	sempre bagnato di sudore
	suona l'organino
	fa la parte del contadino
	io che ò la direzione
	faccio la parte del padrone
Bobi	* Alora giacché io sono il contadino
	canto per il primo
Contadino	– È finita la cuccagna
	per tutti i proprietari
	approvata già la legge
	dei nuovi patti agrari [2]
	il cinquantotto ai contadini
	il quarantadue al padron
	aqua luce e gas

---

[1] Le parti precedute da * sono recitate. Quelle precedute da – sono cantate.
[2] Il contrasto si riferisce.

e una bella abitazion

Padrone	*	Avete sentito? cinquantotto al contadino quarantadue al padron aqua luce e gas e una bella abitazion

Contadino   * Perchè, devu durmì 'nt la stala?

Padrone   * Quanti soldi m'ài fatto spendere contadino
ò dovuto fare una bella caśa
la forza eletrica il bagno l'aqua corrente

Contadino   * Eco, l'aqua corente è l'unica cośa che funziona
quand al piöv ven giò 'n testa
più corente di cośì

Padrone   * Ecco, state sentire il padrone

– Contadino sei fortunato
la nuova legge ti da ragione
tutti quanti sono contro
a quel povero padrone
con il quarantadue
e le tasse da pagar
un podere all'anno
non posso più comprar

Contadino   * T'avnìs un asidént 'n'altra volta
un podere a l'anno
se scampa settanta otanta anni
diventa padrone di meza Italia

Padrone   * Ma si capisce
il padrone è nato per comperare
il contadino deve lavorare

Contadino   * Il padrone è nato per gratare

Padrone   * Che fortuna contadino
                     caldo e freddo
                     d'estate in campagna con quel bel sole
                     quelle belle sudate
                     muoiono tutti i microbi dell'infezione
                     d'inverno quel bel freddo il rigido
                     la fortuna la salute del contadino
                     i contadini stan sempre bene

                   – Contadino non lamentarti
                     sei in mezzo all'abbondanza
                     latte galline e uova
                     bere e mangiare non ti manca
                         lavorare ora in campagna
                         non ti bagni di sudor
                         le grosse fatiche
                         le fai tutte col motor

Contadino   * A bel
                     sei giorni in campagna a lavorare
                     e il sètimo a lavorare dietro i motori
                     che son semper rot
                     e per ultimo parlo io

                   – Evviva i patti agrari
                     evviva l'uguaglianza
                     delle chiacchiere padrone
                     ne abbiamo già abbastanza
                         la terra ai contadini
                         per il bene della nazion
                         se vogliono mangiare
                         a lavorare anche i padron

Discografia

* (Orig) Disco pubblicato e distribuito dal cantastorie Marino Piazza (45)

62. MAMMA MIA MI VÖI MARIDÀ

canzone a contrasto
Ripalta Nuova, Cremona (Lombardia)

Mam - ma   mi - a   mi   vöi   ma - ri -

-dà   ca - ra la mi mam-ma me pias Giu - àn

ca-ra la me fi - glia spe-ta an-cu-ra un an   oi - mè an-cu-ra un

an ghè'l me cör ch'el va pian pian ma-ri-dé-me oi mam-ma.

Mamma mia mi vöi maridà
cara la mi mamma me piaś Giuàn
cara la me figlia spèta ancura un an
        oimè ancura un an
gh'é 'l me cör ch'el va pian pian
        maridéme oi mamma

Mamma mia mi vöi maridà
cara la mi mamma me piaś Giuàn
cara la me figlia spèta ancura un meś
        oimè ancura un meś
gh'é 'l me cör ch'el va suspeś
        maridéme oi mamma

Mamma mia mi vöi maridà
cara la mi mamma me piaś Giuàn
cara la me figlia spèta 'na settimana
oimè 'na settimana
gh'è 'l me cör ch'el va in cundana
maridéme oi mamma

Mamma mia mi vöi maridà
cara la mi mamma me piaś Giuàn
cara la me figlia spèta ancura un dì
oimè ancura un dì
gh'è 'l me cör ch'el vör murì
maridéme oi mamma

Mamma mia mi vöi maridà
cara la mi mamma me piaś Giuàn
cara la me figlia spèta ancura un'ura
oimè ancura un'ura
gh'è 'l me cör ch'el va in malura
maridéme oi mamma

Mamma mia mi vöi maridà
cara la mi mamma me piaś Giuàn
cara la me figlia va in cuppia
va in cuppia sotta la dubbia
va in cuppia sotta la dubbia
maridéme oi mamma

Traduzione

Mamma mia mi voglio sposare / cara la mia mamma mi piace Giovanni / cara la mia figlia aspetta ancora un anno / oimè ancora un anno / c'è il mio cuore che va pian piano / sposatemi o mamma
Mamma mia mi voglio sposare / cara la mia mamma mi piace Giovanni / cara la mia figlia aspetta ancora un mese / oimè ancora un mese / c'è il mio cuore che va sospeso / sposatemi o mamma
Mamma mia mi voglio sposare / cara la mia mamma mi piace Giovanni / cara la mia figlia aspetta ancora una settimana / oimè una settimana / c'è il mio cuore che va in condanna / sposatemi o mamma

Mamma mia mi voglio sposare / cara la mia mamma mi piace Giovanni / cara la mia figlia aspetta ancora un giorno / oimè ancora un giorno / c'è il mio cuore che vuole morire / sposatemi o mamma
Mamma mia mi voglio sposare / cara la mia mamma mi piace Giovanni / cara la mia figlia aspetta ancora un'ora / oimè ancora un'ora / c'è il mio cuore che va in malora / sposatemi o mamma
Mamma mia mi voglio sposare / cara la mia mamma mi piace Giovanni / cara la mia figlia va in coppia / va in coppia sotto le lenzuola / va in coppia sotto le lenzuola / sposatemi o mamma

Bibliografia

S. Lodi e G. Morandi, *Autobiografia e repertorio di Adelaide Bona*, in "Il Nuovo Canzoniere Italiano", n. 7/8, 1966   [m]

Discografia

* (Orig) *E la partenza per me la s'avvicina*
DDS DS 514/16
* (Rev) *Almanacco Popolare / Canti pop. italiani* (cantano Eva Tormene e Sandra Mantovani)
ALBATROS VPA 8089

63. O MAMMA MIA MARIDEME
canzone a contrasto
Grondone di Ferriere, Piacenza (Emilia)

O mam - ma ___ mi - a ma - ri - dé - me che s'ac-

-co - sta la sta - gion le ci - lie - ge son ma - tu - re le ci - lie - ge son ma-tu - re o mam - ma   mi - a ma - ri - dé - me che s'ac - co - sta la sta-

-gion le ci -lie -ge son ma -tu - re ghe fan dén -ter'l ca - mu - lòn.

O mamma mia maridéme
che s'accosta la stagion
le ciliege son mature
le ciliege son mature
o mamma mia maridéme
che s'accosta la stagion
le ciliege son mature
ghe fan dénter 'l camulòn [1]

Lascia andare figlia mia
lascia andare quei pensier
che la donna maridada
che la donna maridada
lascia andare figlia mia
lascia andare quei pensier
che la donna maridada
l'è un vero prigionier

E 'l marito a l'osteria
sempre a bere e a mangiar
e la moglie in camerella
e la moglie in camerella
e 'l marito a l'osteria
sempre a bere e a mangiar
e la moglie in camerella
coi suoi figli a sospirar

Chi ci mancheran le scarpe
chi ci mancherà i calzon
per la figlia maridada
per la figlia maridada

---

[1] *gli viene dentro il bruco*

chi ci mancheran le scarpe
chi ci mancherà i calzon
per la figlia maridada
l'è una gran disperazion

Quando i figli piangeranno
giù dal letto li butterò
e col mio marito al fianco
e col mio marito al fianco
quando i figli piangeranno
giù dal letto li butterò
e col mio marito al fianco
più felice io sarò

Discografia

* (Orig) *Italia*, vol. 3
ALBATROS VPA 8126

64. LE FÌE 'D CARMAGNOLA
Castelnuovo Nigra, Torino (Piemonte)

E le fi-ie'd Car-ma-gno-la l'àn nèn vó-ia'd tra-va-

-ié   e   pü-tost d'an-dé pié l'a-qua man-giu i còi-le da la-vé.

E le fìe 'd Carmagnola
l'àn nèn vöia 'd travaié

e pütòst d'andé pi-é l'aqua
mangiu i còi-le da lavé

Mangia pare mangia mare
mangia i còi ca sun tant bun
e in tal mentre ca mangiavu
traundìu i limassùn

E la mare da la stala
ed al pare s'la travà
ca parlavu 'd sue fìe
per pudèie maridà

Sàuta föra la pi cita
mamma mia marìdme mi
ma 'ndùa i'é masé e madona
cerché pa 'd mandeme mi

Andùa i'è masé e madona
fìa mia vènta 'ndé
e i travai che seve nèn fé
la mare madona vi mustra a fé

Sa na vèn la matinéia
la spuśina si levé
va a ciamé mare madona
cuśa i-élu si da fé

't ses avnüa grand e grosa
't ses nen cuśa i-é da fé
andé a dörmi ansema a l'omu
i-é pa gnün ca 't lu mustra a fe

Sun avnüa grand e grosa
sun avnüa da mia ca
andé a dörmi ansema a l'omu
l'é pa mi chi l'ài cuminsà

O che nóra ampartinènta
o che nóra 't ses mai ti
't ses rivà mach l'autra sèira
't völe già cumandé ti

Traduzione

Le ragazze di Carmagnola / non hanno voglia di lavorare / e piuttosto che andare a prender l'acqua / mangiano i cavoli da lavare

Mangia padre mangia madre / mangia i cavoli che sono tanto buoni / e mentre mangiavano / inghiottivano i lumaconi

E la madre dalla stalla / e il padre sul fienile / che parlavano delle loro figlie / per poterle maritare

Salta fuori la più piccola / mamma mia maritate me / ma dove ci sono suocero e suocera / cercate di non mandare me

Dove ci sono suocero e suocera / figlia mia bisogna andare / e i lavori che non sapete fare / la suocera vi insegnerà a farli.

Se ne viene la mattina / e la sposina si è levata / va a chiedere alla suocera / che cosa c'è qui da fare

Sei venuta grande o grossa / non sai che cosa c'è da fare / ad andare a dormire con l'uomo / nessuno te l'ha insegnato a fare.

Sono venuta grande grossa / sono venuta da casa mia / a dormire con l'uomo / non sono io che ho incominciato

O che nuora impertinente / o che nuora che sei mai tu / sei arrivata soltanto l'altra sera / e vuoi già comandare tu

Discografia

* (Orig)   *Il Canavese*
ALBATROS VPA 8146
* (Rev)   *Almanacco Popolare* / *Canti pop. italiani* (canta Sandra Mantovani)
ALBATROS VPA 8089

VI
Canzoni narrative

Si raccolgono convenzionalmente sotto la definizione di *canzone narrativa* documenti fra loro assai diversi della tradizione orale, caratterizzati da un impianto polistrofico e da uno svolgimento narrativo.

Rientrano cioè in questa vasta e artificiosa categoria tutti quei canti della cultura orale che, in forme diverse e con diverso andamento, raccontano una storia o un fatto attraverso una successione logica e coerente di strofe.

In termini molto generali possiamo distinguere due filoni principali nella canzone narrativa italiana: quello della *ballata* e quello della *storia*.

La *ballata* presenta i seguenti caratteri:

a) racconta un solo avvenimento; b) tende alla concisione e alla esposizione sintetica; c) è impersonale; d) utilizza molto spesso la forma dialogata; e) evita le descrizioni d'ambiente, i commenti (salvo una "morale" conclusiva che però è infrequente e spesso applicata), la digressione lirica; f) non descrive che molto sommariamente i personaggi; g) non contiene antefatti; h) impiega largamente "formule"; i) presenta quasi sempre ripetizioni e spesso ha un ritornello; l) è metricamente strutturata su versi cosiddetti epico-lirici e, nelle forme moderne, su versi da essi derivati (settesillabi, ottosillabi, novesillabi, decasillabi); nella sua diffusione verso le regioni centro-meridionali ha talora, ma eccezionalmente, acquisito l'endecasillabo.

La *ballata* è in Italia soprattutto diffusa nelle regioni settentrionali e centrali e conserva i suoi prodotti presumibilmente più arcaici e organici in Piemonte. Il repertorio italiano presenta sicuramente elementi autoctoni ma nell'assieme si rivela strettamente connesso con il grande "corpus" della *ballata* europea in generale e con quella provenzale-catalana in particolare.

La *ballata* ha le sue radici nell'antica cultura europea e si fissa, nel suo repertorio di base, durante l'età feudale, della quale testimonia i costumi, gli atteggiamentdi, i rapporti sociali e umani, il paesaggio e la visione della realtà.

In questo contesto fisico e sociale si può spiegare la diffusione quasi incredibile delle ballate attraverso l'Europa. Certo i canti narrativi furono portati dalla Scandinavia al Piemonte, dalla Catalogna alla Germania, dalla Provenza alla Scozia dai cantastorie la cui presenza e importanza è largamente testimoniata dai documenti, ma anche per altre vie le storie cantate si sparsero nell'Europa. Infatti la mobilità degli uomini, del Medioevo fu enorme, quasi sconcertante ed è facile capirne il perché se si ricorda che la proprietà come realtà psicologica e materiale era quasi sconosciuta nel sistema feudale. Dal contadino al signore, ogni famiglia aveva soltanto diritti più o meno estesi di possesso provvisorio perché ciascuno aveva sempre su di sé un padrone (o avente diritto) più potente. Tutti si muovono perché poco o nulla posseggono e anche i contadini non si sottraggono a questa legge perché alla terra non li lega che la servitù alla quale sfuggono con l'evasione o, più tardi, il riscatto giuridico. Sulle strade dell'Europa medioevale camminano ricchi e poveri, monaci e pellegrini, studenti e mercanti, contadini, soldati e vagabondi d'ogni genere. E con loro camminano le canzoni, le storie, le leggende, le favole.

La maggior parte delle ballate italiane sono di carattere tragico. Molto rare quelle storiche, quasi del tutto assenti quelle con elementi soprannaturali espliciti. Elementi magici, rituali e connessi con antichi costumi alto-europei sono però avvertibili in molte ballate a testimonianza delle radici che questo "genere" ha in una cultura pre-feudale, pre-cristiana, di tipo tribale.

L'invenzione della stampa portò un nuovo contributo alla diffusione delle ballate e segnò una specie di cesura nel filo della tradizione. Con il *foglio volante* incomincia un nuovo periodo per la canzone narrativa in generale e per la ballata in particolare. Usando il nuovo mezzo incominciano a circolare fra il popolo testi formalmente e anche concettualmente nuovi. Sono quelle canzoni che gli inglesi chiamano *broadside ballads* e che noi diremmo ballate da *foglio volante*. Su queste stampe da pochi soldi vengono pubblicati numerosi rifacimenti di vecchie ballate di larga conoscenza popolare ma soprattutto componimenti nuovi che, a paragone dei vecchi, appaiono più pretenziosi, più ambiziosi, più tesi alla letteratura, meno spontanei. E anche i metri cambiano. I vecchi versi capaci di consentire libertà sono sostituiti da nuovi metri più rigidi. Mentre il repertorio antico è sostanzialmente europeo, quello legato alla stampa (e condizionato dalla nuova struttura politico-sociale) diventa nazionale e addirittura regionale.

I componimenti dei cantastorie contemporanei si collocano in questo filone e ne rappresentano l'ultima manifestazione.

Quella forma di canzone narrativa che, per comodità, abbiamo detto *storia* si distingue dalla *ballata* per i seguenti caratteri:

a) tende a raccontare una serie di avvenimenti, anche l'intera vita di un eroe; b) la narrazione è dilungata, ricca di particolari, di annotazioni, di descrizioni; c) affronta spesso la descrizione d'ambiente, non rifiuta il commento (che anzi spesso ha larga parte), non disdegna il lirismo; d) delinea con minuzia i personaggi; e) poche volte presenta ripetizioni e il ritornello è rarissimo; f) è metricamente strutturata soprattutto in endecasillabi.

I caratteri distintivi delle "storie" permangono anche quando il testo, attraverso un prolungato uso popolare, si è contratto al momento essenziale e centrale della vicenda.

La *storia* è diffusa, in Italia, nelle regioni meridionali e soprattutto in Sicilia. Al nord si spinge, parallelamente ad altre forme meridionali di canto lirico, verso l'Emilia.

La *storia* si collega a una produzione mediterranea e orientale-balcanica.

Con i canti narrativi dei Balcani ha in comune la lunghezza (anche centinaia di versi), il carattere disteso e ampio del racconto, la presenza quasi costante di un eroe, o personaggio centrale. Mentre la *ballata* punta sul fatto, la *storia* si dedica al protagonista, che segue in alcune o tutte le sue vicende.

Formalmente la *storia* utilizza prevalentemente strofe di endecasillabi (quella balcanica non ha struttura strofica né ordinamento per rime): di tre, di sei, di otto versi.

I cantastorie settentrionali si collocano, pur con un repertorio moderno, nel filone della *ballata*; quelli dell'Italia centro-meridionale e della Sicilia in quello della *storia*.

I primi presentano testi brevi, centrati su un fatto, in settenari, ottonari, novenari, decasillabi al massimo, con strofe di quattro versi. I secondi, eredi dei vecchi "orbi", utilizzano principalmente l'endecasillabo, per lo più in terzine o in ottave.

65. LA PRINCIPESSA DI CARINI
storia
Capaci, Palermo (Sicilia)

La barunissa (o *principessa*) *di Carini* ha suscitato, fin dal XVIII secolo, la curiosità e l'interesse nell'intenzione di identificare i fondamenti storici o cronistici della tragica vicenda che i dettati orali non precisano. Non è questa la sede per ripercorrere le molte e contraddittorie tappe del riconoscimento più o meno ipotetico dei nomi e delle condizioni dei personaggi che animano la "storia" ed è sufficiente ricordare che la canzone si ispirerebbe a un fatto di sangue, un vero e proprio delitto d'onore, accaduto nel dicembre del 1563 nel castello di Carini, non lontano da Palermo. Secondo le ricostruzioni più recenti e attendibili la vittima sarebbe stata la figlia di don Cesare Lanza di Trabia, Laura (sposata al barone Vincenzo La Grua-Talamanca) e l'omicida vendicatore il Lanza medesimo. Il padre avrebbe ucciso la figlia, nel castello di Carini, per punirla del suo amore colpevole con il cugino, Ludovico Vernagallo.

Il primo a pubblicare il testo di questa "storia" fu il Salomone-Marino, nel 1870, ma il testo che ne diede l'illustre folklorista siciliano è in realtà un falso perché risultato della fusione di numerosi frammenti raccolti in vari luoghi di Sicilia, ordinati al fine di ricostruire la vicenda secondo l'idea della realtà cronistica che il Salomone-Marino allora aveva.

Nelle linee generali la vicenda raccontata dalla "storia" (con molte varianti a seconda delle lezioni) è la seguente:

La baronessa, una fanciulla incantevole, figlia del barone di Carini, per lo più indicata con il nome di Caterina, soggiace a cieco amore per il cavalier Vernagallo. Un giorno mentre è affacciata al balcone del castello ("patita e stanca di spassi e piaciri"), la baronessa vede approssimarsi una schiera di cavalieri armati, tra i quali riconosce il padre. La fanciulla vien presa allora dal presentimento che il padre venga per ucciderla. Quando il barone è innanzi alla figlia le dice che è venuto per punirla della sua condotta dissoluta e dei suoi amori peccaminosi. La fanciulla implora perdono, ma invano; chiede di potersi confessare e la grazia le è rifiutata perché, dice il padre, è ormai troppo tardi per il pentimento. Poi, con un colpo solo di spada, il barone spezza il cuore della figlia.

A questo punto ricorre un'accorata invocazione del poeta rivolta alla gente di Carini perché corra a piangere la sua infelice signora, ai preti e ai frati perché vengano a tributarle le funebri onoranze.

Alla notizia della tragica morte della figlia esplode il dolore della madre e delle sorelle, mentre il poeta inveisce contro il monaco che, avendo raccolto le confessioni della baronessa, aveva tradito il segreto a 'cui era tenuto e aveva avvertito il padre dei peccati della figlia.

Intanto l'amante, il cavalier Vernagallo, ignaro di quanto è successo, attende invano che si riapra il balcone del castello di Carini. Quando il balcone s'apre non vi appare l'amante ma la madre di lei che, piangendo e disperandosi, gli annuncia il tragico fatto. Allora il Vernagallo corre alla tomba della baronessa e ottiene dal diavolo di scendere all'inferno per rivedere l'amante. Di fatto la ritrova ma disperata e imprecante contro il suo stesso cuore, causa della sua sventura. Anche il monaco delatore è all'inferno a espiare la sua colpa.

Ma la tragica successione di eventi non è conclusa. Il padre omicida, sfuggito da tutti, abbandonato da tutti, vaga per la terra affranto e distrutto, inseguito dallo spirito della figlia.

Come la maggior parte delle "storie" siciliane anche quella della *Baronessa di Carini*, composta non si sa da chi, fu certo portata in giro per l'isola dai cantastorie, per lo più orbi com'erano una volta in maggioranza i cronisti ambulanti. È assai probabile che il primo dettato della "storia" risalga ai giorni successivi al fatto cui si riferisce, sia stato diffuso già nel XVI secolo dagli orbi, abbia poi continuato a vivere, uscito forse dal repertorio sempre rinnovato dei cantastorie, nell'uso popolare, giungendo fino a noi.

C'era na principissa di Carini
ièra affacciata nna lu sò barcuni
viri viniri na cavalleria
chisto è me patri chi bèni pi mìa
o caru patri chi biniti a fari
o cara figghia p'ammazzari a tìa
o caru patri un m'ammazzarü ora
quantu va chiamu a lu me confissuri
'nta tantu tempu un t'ài confissatu
ora ti vinni sta confissiuni
tira cumpagnu mia nun la śgarrari
píchila nna lu centru di lu cori
lu primo corpu la donna carìu
secunnu corpu la donna murìu
curriti tutti monaci e parrini
ora ch'i morta la vostra signura
li vermi si la macinu la ula
unni c'è miśa la bella ulera

e idda si scantava a dormiri sula
ora cu l'autri morti accumpagnata

Traduzione

C'era una principessa di Carini / era affacciata al suo balcone / vede venire dei cavalieri / « Questo è mio padre che viene per me » / « O caro padre che cosa sei venuto a fare? » / « O cara figlia per uccidere te » / « O caro padre non uccidermi ora / che io vado a chiamare il mio confessore » / « Da tanto tempo non ti sei confessata / ora ti è venuta questa confessione » / « Tira, compagno mio, non la sbagliare / colpiscila in mezzo al cuore » / Al primo colpo la donna cadde / al secondo colpo la donna morì / « Correte tutti, monaci e preti / ora che è morta la vostra signora » / I vermi le mangiano la gola / là dov'è poggiata quella bella collana / Aveva paura a dormire sola / ora agli altri morti (è) accompagnata

Bibliografia

Salvatore Salomone Marino, *La baronessa di Carini*, Palermo 1870 (n. ed. Palermo 1914)

Aurelio Rigoli, *Le varianti della "Barunissa di Carini" raccolte da S. Salvatore Marino*, Palermo 1963

Id., *Scibìlia nobili e altre "storie"*, Parma 1965

Id., "Ultimi echi della Barunissa di Carini", in: *Mondo popolare e letteratura*, Palermo 1971   [m]

Discografia

* (Orig)   *Italia*, vol. 2
ALBATROS VPA 8088

66. NON MI CHIAMATE PIÙ DONNA SABELLA
storia
Acciaroli, Salerno (Campania)

Questa storia, assai diffusa nell'Italia meridionale, sarebbe nata nel 1440 sulla vicenda di Isabella di Lorena, moglie di Renato d'Angiò, che, mentre il marito era prigioniero in Borgogna, navigò a Napoli (1435) per combattere Alfonso d'Aragona. Isabella tornò in patria nel 1441. Il canto è già ricordato da Sabadino degli Arienti, nel 1500.

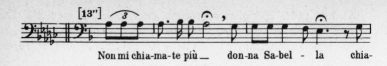

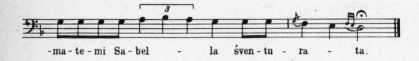

> Non mi chiamate più donna Sabella
> chiamatemi Sabella śventurata
> aggiu perduto trentasei castelli
> la chiana Puglia la Baśilicata
> aggiu perduto la Salierno bella
> lo strazio della diśgraziata
> la sera m'imbarcai in barconcella
> e la mattina mi trovai 'negata

Discografia

* (Orig) Nel disco allegato alla pubblicazione: *Canti delle tradizioni marinare*, Edindustria, 1968

67. OTTAVE CAVALLERESCHE

Se ancora nell'800 i gondolieri veneziani cantavano le ottave del Tasso [1] e di altri poeti cavallereschi e se [2] quest'uso è sopravvissuto nel Polesine fino a dopo la prima guerra mondiale, la tradizione di intonare i testi classici della nostra letteratura – dal Tasso all'Ariosto e anche la *Commedia* – rimane ancora nell'Italia centrale, soprattutto fra la Toscana e il Lazio.

[1] L'uso dei gondolieri di cantare le ottave della *Gerusalemme Liberata* è riferito fra gli altri da Goethe (*Italian Reisen*, Venezia, 7 ottobre 1786).
[2] A. Cornoldi, *Ande, bali e canti del Veneto*, Padova 1968.

Alcuni "poeti" popolari conoscono interi poemi a memoria. Diamo qui due modelli usati per intonare l'ottava cavalleresca, uno toscano (su testo dell'Ariosto [1]) e una della campagna romana (del Tasso).

Sambuca Pistoiese (Toscana)

[1] Desunta dall'esecuzione di uno dei più rinomati "poeti" del Pistoiese, Vittorio Lorenzi, detto "il poetino".

-ca - re la mor - te_____ di Tro - ia - no_____

so - pra   re Car - lo im - pe - ra - tor   ro - ma   -   no.

IIª Ottava

Can - to d'Or - lan - do   in un me - de - śi - mo trat - to

co - śa   non   det - ta mai   in pro - śa e'n ri - ma

ch'ei per fu - ro - re   e   ne di - ven - ne mat - to ___

uo - mo che sag-gio e-ra sti - ma-to in pri - ma._____

Le donne i cavalier l'armi e gl'ammori
le cortesie le audaci impres io canto
qual fur del tempo che passarno i mori
d'Africa il mar e in Francia noquer tanto
canterò l'ire e i giovanil furori
d'Agramante il re che si dié vanto
di vendicare la morte di Troiano
sopra re Carlo imperator romano

Canto d'Orlando in un medesimo tratto
cosa non detta mai in prosa e 'n rima
ch'ei per furore ne divenne matto
uomo che saggio era stimato in prima

Campagna romana (Lazio)

In - tan - to Er - mi - nia   in fra l'om - bro - se pian-

- - te   d'an - ti - ca sel - va   dal ca - val - lo è

por - ta   e più non reg - ge il fren la man tre - man - te

e sì che mez - za par   tra vi - va e mor - - ta.__

[da G. Nataletti]

Intanto Erminia in fra l'ombroŝe piante
d'antica selva dal cavallo è porta
e più non regge il fren la man tremante
e sì che meźźa par tra viva e morta

Bibliografia

G. Nataletti e G. Petrassi, *Canti della campagna romana*, Milano 1930   [m]
G. Nataletti, "I poeti a braccio della campagna romana", in *Atti del 3° Congresso Arti e Trad. Popolari*, Roma 1936   [m]

68. LA RONDINE IMPORTUNA
canto lirico-narrativo
Ripalta Nuova, Cremona (Lombardia)

È questo uno dei pochi testi popolari italiani sicuramente documentato anteriormente al XVI secolo. Troviamo infatti nel Codice magliabechiano strozziano 1040, cl. VII, c. 55v°, una *Napolitana* con questo testo [1]:

Gimene al letto della donna mia
stesi la mano e toccaile lo lato
ella si risvegliò ch'ella dormia
– onde ci entrasti o cane rinnegato –

– Entraici dalla porta o vita mia
priegoti ch'io ti sia raccomandato –
– or poi che ci se' entrato fatto sia
spogliti ignudo e corquamiti a lato –

Poi ch'avem fatto tutto nostro gioco
tolsi li panni e voleami vestire

---

[1] Pubblicato da: G. Carducci, *Cantilene e Ballate, Strambotti e Madrigali dei secoli XIII e XIV*, Sesto S. Giovanni 1912. Si veda anche: A. D'Ancona, *La poesia pop. italiana*, Livorno 1906.

ed ella disse – stacci un altro poco
che non sai i giorni che ci puoi trasire –

I punti di contatto sono forse evidenti, anche al di là di una situazione generica. *La rondine importuna* è probabilmente un canto lirico-
narrativo di origine italiana ed è stato largamente raccolto in tutte
le nostre regioni settentrionali e centrali e in alcune meridionali
(compresa la Calabria).

Pep-pi-no en-tra in stanza   in stan-za di quel-la si-gno - ra

e-ra di-ste-śa sul   let - to   che la dor-mi - va   so-la.

Peppino entra in stanza
in stanza di quella signora
era distesa sul letto
che la dormiva sola

Peppino le dà un bacio
ed ella non à sentito
Peppino gliene dà un altro
aimè che son tradita

Se tu sarai tradita
sarai la sposa mia
padrona del mio castello
e della vita mia

Rondine o rondinella
tu sei stata una traditora

tu ài cantato stanotte
non era la tua ora [1]

Bibliografia

A incominciare da *Agrumi* (1838) quasi tutte le raccolte di canti popolari italiani del Nord e del Centro e alcune del Sud riportano testi di questo canto.

Per raffronto diamo qui le lezioni lombarde:
Frescura e Re, *Canzoni pop. milanesi*, Milano 1939 [m]
Bollini e Frescura, *I canti della filanda*, Milano 1940 [m]
S. Lodi e G. Morandi, *Autobiografia e repertorio di Adelaide Bona*, in "Il Nuovo Canzoniere Italiano", n. 7-8, 1966 [m]
R. Leydi, *Le trasformazioni socio-economiche e la cultura tradizionale in Lombardia*, Milano 1972 [m]

Citiamo inoltre altre raccolte in cui il canto è riferito con la trascrizione musicale:
A. Cornoldi, *Ande, bali e cante del Veneto*, Padova 1968 [m]
E. Masetti, *Canti pop. emiliani*, Milano 1928 [m]
C. Pargolesi, *Canti pop. trentini*, Trento, sd. (ma 1892) [m]
F. B. Pratella, *Etnofonia di Romagna*, Udine 1938 [m]
G. Radole, *Canti pop. istriani*, Firenze 1965 [m]
L. Sinigaglia, *36 vecchie canzoni pop. del Piemonte*, Leipzig 1913 [m]

Discografia

* (Orig) Disco allegato alla pubblicazione di R. Leydi, cit. in Bibl.
(Orig/Rev) *I giorni cantati* (cantano il Gruppo Padano di Piadena e altri) DDS DS 164/66 CL
(Rev/Orig) *Canzoni della pianura padana* (canta il Duo di Piadena) TANK MTG 8002
(Folk) *Le nostre canssôn* (canta Roberto Balocco) CETRA LPP 109

---

[1] In altre lezioni, più complete, si ha, all'inizio, una strofa in cui l'uomo non riuscendo a dormire va in cerca della donna che desidera; dopo l'entrata dell'uomo nella stanza si ha la donna che chiede di dove sia passato e l'uomo che risponde d'essere entrato per una finestrella; nel finale si ha talora la risposta della rondinella che s'è messa a cantare anzitempo la quale dice, all'uomo che l'accusa d'essere una traditrice, che è facile parlare per lui che è sulla piuma mentre lei è fuori al freddo.

69. MORAN DELL'INGHILTERRA

ballata
Castelnuovo Nigra, Torino (Piemonte)

La prima segnalazione di questa bella e interessante ballata è di Costantino Nigra, con una lezione canavesana pubblicata nel 1862. Successivamente ne furono pubblicate una lezione monferrina dal Ferraro (1870) e una tortonese dal Nigra (1888), che dà varianti anche di Graglia (Vercelli), Valfenera (Asti) e Alba (Cuneo).

Nel quadro della ballata europea, *Moran dell'Inghilterra* ha legami con ballate spagnole, catalane e soprattutto anglo-scozzesi (*Young Beicham*). La lezione canavesana che qui pubblichiamo ha una melodia arcaica, nel filo della più pura tradizione della ballata piemontese, e una struttura metrica pure antica.

* Il numero delle note ribattute varia secondo il numero di sillabe di ciascun verso.

Ma l'è la bella di Si-an
ma l'è la bella di Si-an   chila l'é 'na tant gran béla fìa
ma l'è la bella di Si-an   chila l'é 'na tant gran béla fìa [1]

[1] Le strofe che seguono hanno la struttura di questa prima.

El so papà sa la völ maridé
el so papà sa la völ maridé   völ déila a Muran dell'Inghilterra

Ma l'é 'l prim dì ca l'à spuśà
ma l'é 'l prim dì ca l'à spuśà   Muran fu nin àut che baśela

Ma l'é cul dì ca faśîa dui
ma l'é cul dì ca faśîa dui   Muran völ già bastunela

Ma l'é cul dì ca faśîa tre
ma l'é cul dì ca faśîa tre   Muran völ già chitéla

Ma l'é la bela speta set agn
ma l'é la bela speta set agn   Muran mai pi turnava

Ma l'é la bela 's cumpra 'n caval
ma l'é la bela 's cumpra 'n caval   ca i custava cincento scudi

Sa l'à bütàie la sella d'or
sa l'à bütàie la sella d'or   e la brilla carià da stelle

Ma l'é la bella munta a caval
ma l'é la bella munta a caval   sa s'é bütase a cure

Ma sa l'é 'l prim ca l'à riscuntrà
ma sa l'é 'l prim ca l'à riscuntrà   sa l e 'n marghér da vache

O diśi un po vui bel marghé
o diśi un po vui bel marghé   'd chi sunne ste béle vache

Ma l'é ste vache sun ad Muran
ma l'é ste vache sun ad Muran   Muran dell'Inghilterra

O diśi 'n po vui bel marghé
o diśi 'n po vui bel marghé   Muran cume 's diportlo

Ma l'é Muran s'as diporta bin
ma l'é Muran s'as diporta bin   ancöi l'é 'l di dle sue nose

A questo punto l'informatrice s'è interrotta e così ha raccontato il finale, non ricordando esattamente il testo:

Pöi lì la ricordo pi dabùn perchè a i'à turna ciamà... a diś... perchè ai riva chièl e i da 'd bèivar a chila l'era la sua spuśa 'd prima... l'à dàit 'd bèivar la cupa d'or... a l'à turna lasà l'àutra e pià cula li ma la su pi...

Cioè la bella si presenta al castello di Moran mentre si svolge la festa nuziale. Si fa riconoscere e Moran le offre da bere in una coppa d'oro, così la riprende con sé e scaccia l'altra che stava per sposare.

Traduzione

Ma è la bella di Sian / lei è tanto una gran bella ragazza
Il suo papà la vuole sposare / vuol darla a Moran d'Inghilterra
Ma il primo giorno che l'ha sposata / Moran non fa altro che baciarla
Ma è quel giorno che faceva due / Moran vuole già bastonarla
Ma è quel giorno che faceva tre / Moran vuole già abbandonarla
Ma è che la bella aspetta sette anni / Moran non tornava più
Ma è che la bella si compra un cavallo / che costava cinquecento scudi
Gli ha messo la sella d'oro / e le briglie cariche di stelle
Ma è che la bella monta a cavallo / e si è messa a correre
Ma è che il primo che ha incontrato / è un guardiano di vacche
O ditemi un po' voi bel malgaro / di chi sono queste belle vacche
Ma è che queste vacche sono di Moran / Moran d'Inghilterra
O ditemi un po' voi bel margaro / Moran come sta
Ma è che Moran sta bene / Oggi è il giorno delle sue nozze
(parlato): Poi qui non ricordo più sul serio perché ha chiesto di nuovo... dice... perché è arrivato lui e le dà da bere e lei era la sua prima sposa... le ha dato da bere nella coppa d'oro... allora ha lasciato l'altra e ha ripreso quella lì ma non la so più...

Bibliografia

G. Ferraro, *Canti pop. monferrini*, Torino 1870
C. Nigra, *Canti pop. del Piemonte*, Torino 1888

Discografia

* (Orig)   *Italia*, vol. 2
ALBATROS VPA 8088
* (Rev)   *Servi baroni e uomini* (canta Sandra Mantovani)
ALBATROS VPA 8090

70. PRINSI RAIMUND (GLI ANELLI)
ballata
Asti (Piemonte)

Venuta da noi certamente dalla Francia, questa ballata non sembra esser stata finora raccolta fuori del Piemonte. Il testo, di una singolare forza drammatica e di accesa crudeltà, propone l'immagine di una arcaica società feudale.

Prin-si Raimund a s'völ ma-ri-dé dama gen-ti-la se chièl völ spusé l'é pa'ncur

'nan ca l'é ma – ri-dé o che la gue-ra ai tu-ca già 'ndé.

* A seconda delle strofe.

Prinsi Raimund a s'völ maridé   dama gentila se chièl völ spusé
l'é pa 'ncur 'n'an ca l'é maridé   o che la guèra ai tuca già 'ndé

Fait a sté ca so fratelin   perché i guernèisa 'l so bel fiulin
Fait a sté ca so fratelin   perché i guernèisa 'l so bel fiulin

O se vi dico dama gentil   vurèisi fémi l'amur a mi
o no no no o prinsi 'd Liùn   mi i fas pa's tort a mio marì

Prinsi 'd Liùn va da l'anduradur   per fesi fé dui anelun
dui anelun e due anelin   cumpagn ad cui 'd la Mariunsin

Prinsi Raimund l'à vist a venir   o che nuveli'm purtevi a mi
bunhi per mi e grami per vui   la vostra dama l'à fami l'amur

La mia dama l'é dama d'unur   l'avrà pà favi l'amur a vui
la mia dama l'é dama d'unur   l'avrà pà favi l'amur a vui

O ma sel basta nèn ad mi   guardé-i si i vost dui anelin
dui anelin e dui anelun   cumpagn ad cui 'd la Mariunsun

Prinsi Raimund munta a caval   sensa la séla ai mancava i stivai
e tantu fort cum lu faśìa 'ndé   i peri d'la vila i faśìa tremé

La sua mama ca l'era al balcùn   l'à vist el prinsi cl'auniva a Liùn
o se vi dico dama gentil   andéi 'ncuntr'a vostro marì

Ma cuś i avröni da preśenté   o preśentéi 'l so fiulín bél
ma cuś i avröni da preśenté   o preśentéi 'l so fiulín bél

A l'à piàlu per man e per pé   giù dai scalé a l'à falu vulé
o pian pian pian o sur cavaier   perché 'm masévi 'l me fiulín bél

O taś o taś o dama gentil   che altretant na faröni ad ti
o taś o taś o dama gentil   che altretant na faröni ad ti

A l'à grupà la dama gentil   tacà la cùa del caval griśùn
e tantu fort cum lu faśìa 'ndé   le pere 'd la vila i faśìa tremé

O ma da già ca i ö da murì   piévi la ciav del vost cufanin
o ma da già ca i ö da murì   piévi la ciav del vost cufanin

A l'é 'ndürbìnd cul bel cufanin   finha le gioie i faśìu din din
sa l'é 'ndürbìnd cul bel cufanin   finha le gioie i faśìu din din

O se vi dico dama gentil   pudevi 'ncura rinvenir
o no no no o sur cavaièr   vui iéi masami 'l me fiulín bél

Campémi giù la mia spà   e cula là dal pügn andurà
quand a l'à avü la sua spà   o se 'ntel cör a s'lelu piantà

Per üna lengua chi õ scutà mi   a l'é in tre nui biśogna murì
per üna lengua chi õ scutà mi   e nui an tre biśogna murì

Traduzione

Principe Raimondo si vuole sposare dama gentile lui vuole sposare / non è ancora un anno che è maritato alla guerra gli tocca già andare

Ha fatto stare a casa il suo fratellino perché gli guardasse il suo bel figliolino

O se vi dico dama gentile vorreste fare l'amore con me / o no no no o principe di Lione io non faccio questo torto a mio marito

Principe di Lione va dall'indoratore per farsi fare due anelloni / due anelloni e due anellini come quelli della Mariunsin

Principe Raimondo l'ha visto arrivare o che notizie mi portate / buone per me e cattive per voi la vostra dama ha fatto l'amore con me

La mia dama è dama d'onore non avrà fatto l'amore con voi

O se non vi basta (ciò che dico io) guardate qui i vostri due anellini / due anellini e due anelloni come quelli della Mariunsun

Principe Raimondo monta a cavallo senza la sella gli mancavano gli stivali / e tanto forte lo faceva andare che le pietre della città faceva tremare

La sua mamma che era al balcone ha visto il principe che veniva a Lione / o se vi dico dama gentile andate incontro a vostro marito

Ma che cosa ho io da presentargli o presentategli il suo figliolino bello

L'ha preso per le mani e per i piedi giù dalle scale l'ha fatto volare / o piano piano piano signor cavaliere perché mi uccidete il mio figliolino bello

O taci o taci dama gentile che altrettanto farò a te

Ha legato la dama gentile attaccata alla coda del cavallo grigione / e tanto forte lo faceva andare che le pietre della città faceva tremare

O se ho da morire prendetevi la chiave del vostro cofanetto

Aprendo quel bel cofanetto persino le gioie (gli anelli) facevano din din

O se vi dico dama gentile potete ancora rinvenire (rivivere) / o no no no o signor cavaliere voi mi avete ucciso il mio figliolino bello

Buttatemi giù la mia spada quella dall'impugnatura dorata / quando ha avuto la sua spada nel cuore se l'è piantata

Per una (cattiva) lingua che ho ascoltato in tre noi dobbiamo morire

Bibliografia

G. Ferraro, *Canti pop. monferrini*, Torino 1870

C. Nigra, *Canti pop. del Piemonte*, Torino 1888

Discografia

* (Orig) *Il cavaliere crudele*
DDS DS 110/12
* (Rev) *Servi baroni e uomini* (canta Bruno Pianta)
ALBATROS VPA 8090

71. L'INFANTICIDA
ballata
Melle, Cuneo (Piemonte)

Varie versioni sono note della ballata dell'infanticida, cioè della ragazza che annega il figlio neonato per occultare la sua colpa e poi viene invece scoperta e punita. Alcune sono esclusivamente piemontesi. Questa che pubblichiamo è anche conosciuta fuori del Piemonte ed è stata più volte raccolta. Violente e crudeli le versioni propriamente piemontesi (la ragazza viene giustiziata e con le tenaglie roventi o sulla forca e talora essa è la figlia di colui che ha il compito di amministrare la giustizia), meno dura quella più diffusa in tutta l'Italia settentrionale. Di questa versione diamo un testo piemontese.

Lur sun tre fi-éte   venhu da Liùn
lur sun tre fi-éte   venhu du Liùn
venhu da Liun   traversu la riviera
e van via sercand   el fiur dla primavera

E la pi picita   l'à cö-íne 'd pi
ma la pi picita   l'à cö-íne 'd pi
ma 'ntraversand 'l mar   lasà casché na péra
e l'aqua de la mar   l'é stàita 'nterbuléia

Chila l'é partisne   l'é turnasne a ca
chila l'é partisne   l'é turnasne a ca
l'é turnasne a ca   le a piché la porta
o mama la mia mama   mi sun bel'e morta

Fía o la mia fía   cuśa l'as tü fàit
fía o la mia fía   cuśa l'as tü fàit
cuśa l'as tü fait   o fía la mia fía
che tüt al mund a parla   e tüt al mund a cría

Mama la mia mama   mi l'éi pa fai nèn
mama la mia mama   mi l'éi pa fai nèn
antraversand al mar   lasà casché na péra
e l'aqua della mar   l'é stàita 'nterbuléia

Mama la mia mama   dame 'n po d'arśàn
mama la mia mama   dame 'n po d'arśàn
dame 'n po d'arśàn   che paga la giüstisia
che salva 'l me unur   e la mia povra vita

Fía o la mia fía   mi d'arśàn n'éi pa
fía o la mia fía   mi d'arśàn n'éi pa
mi d'arśàn n'éi pa   e mi d'arśàn sun sènsa
chi l'à fàit el pecà   fasa la penitènsa

O che tre fi-éte   che suma nui
o che tre fi-éte   che suma nui
üna l'é 'n persun   e l'auta l'é 'n galera
e l'auta l'é s'la furca   ca völu 'mpichela

Traduzione

Loro sono tre ragazze vengono da Lione / vengono da Lione attraversano la riviera / se ne vanno cercando il fiore della primavera
E la più piccola ne ha colto di più / ma attraversando il mare ha lasciato cadere una pietra / e l'acqua del mare è stata intorbidata
Lei se n'è partita è tornata a casa / è tornata a casa ha bussato alla porta / o mamma la mia mamma sono bell'e morta
Figlia o la mia figlia cosa hai fatto / cosa hai fatto o figlia la mia figlia / che tutto il mondo parla e tutto il mondo grida
Mamma o la mia mamma io non ho fatto niente / attraversando il mare ho lasciato cadere una pietra / e l'acqua del mare è stata intorbidata
Mamma o la mia mamma dammi un po' di denaro / dammi un po' di denaro che paghi la giustizia / che salvi il mio onore e la mia povera vita

Figlia o la mia figlia io di denaro non ne ho / io di denaro non ne ho io di denaro son senza / chi ha fatto il peccato faccia la penitenza
O che tre ragazze siamo (mai) noi / una è in prigione l'altra è in galera / e l'altra è sulla forca che vogliono impiccarla

Bibliografia

L. Sinigaglia, *36 Vecchie canzoni pop. del Piemonte*, Leipzig 1913   [m]
C. Nigra, *Canti pop. del Piemonte*, Torino 1888

Discografia

Per una diversa versione della ballata dell'*Infanticida* (piemontese):
(Rev)   *E per la strada* (canta Sandra Mantovani)
DDS DS 143/45/CL

72. I GIUVU D'ANTRAIME
ballata
Calchesio, Cuneo (Piemonte)

Questa ballata, che il Nigra pubblica con il titolo *Potere del canto*, è fra le più interessanti del repertorio narrativo piemontese. Notevolmente diffusa in area provenzale e catalana non è stata raccolta da noi che in Piemonte, dal Nigra in Canavese e dal Leydi in Val Varaita.

Sa i sun tre giu-vu d'An-trài - me ca i mè-nu a fe mo-

-ri-re sa i sun tre giu-vu d'Antrài - me ___ ca i mè-nu a fe mo-rir. ___

Sa i sun tre giuvu d'Antràime   ca i mènu a fé morire
sa i sun tre giuvu d'Antràime   ca i mènu a fé morì [1]

---

[1] Le strofe che seguono hanno la stessa struttura di questa prima, eccetto l'ultima.

El pi giuvu diś ai àiti   cantuma üna cansùn

Così bin che lur cantàvun   faśíu rimbumbé 'l mar

La regina a la finestra   chi l'élu ca canta 'nsi bin

O sa i sun tre giuvu d'Antràime   ca i mènu a fe morire

Ün lu faruma prèive   l'aut lu faruma fra
e 'l pi giuvu   an tàula servirà

Traduzione

Ci sono tre giovani di Antraime / che li portano a far morire
Il più giovane dice agli altri / « Cantiamo una canzone »
Così bene che loro cantavano / facevano rimbombare il mare
La regina alla finestra / « Chi è che canta così bene »
« Sono tre giovani di Antraime / che li portano a far morire »
« Uno lo faremo prete / l'altro lo faremo frate / il più giovane in tavola
servirà »

Bibliografia

C. Nigra, *Canti pop. del Piemonte*, Torino 1888

Discografia

* (Orig) *Italia*, vol. 2
ALBATROS VPA 8088
* (Rev) *Servi baroni e uomini* (canta Sandra Mantovani)
ALBATROS VPA 8090

73. DONNA LOMBARDA
ballata
Ceriana, Imperia (Liguria)

Donna lombarda è la più famosa delle ballate italiane e quella che
più ha stimolato le esercitazioni filologiche dei folkloristi, all'insegui-
mento della sua origine e al riconoscimento dei suoi personaggi. Fu
Costantino Nigra, con un saggio giustamente famoso, ad aprire il di-

battito su questa canzone avanzando l'ipotesi che sia da vedersi, nel-
l'avvelenatrice "donna lombarda" la longobarda Rosmunda. Questa
ipotesi è forse più geniale e audace che attendibile perché il fatto
che *Donna lombarda* racconta è un fatto esemplare e per nulla specifico, che potrebbe trovare riferimenti di cronaca, in ogni tempo.

Da vari segni, sia nei testi che nelle musiche, *Donna lombarda* non
sembra essere ballata molto antica e non è improbabile che la sua
origine sia italiana. A differenza di tante altre ballate che a noi ven-
nero certo dalla Francia o da altri paesi europei, questa non sembra
avere fuori del nostro paese che sporadica presenza.

Dona lombarda dona lombarda
se vuoi venire a cenar con me
dona lombarda dona lombarda
se vuoi venire a cenar con me

Mi venireva ben volentieri
ma l'ò paura dello mio marì   } 2

Tuo marito fallo morire
fallo morire che t'insegnerò   } 2

Va me l'orto de lu tuo padre
prendi la lingua dello serpentin   } 2

Prendi la lingua del serpentino
butala dentro ne lu buon vin   } 2

E alla sera riva 'l marito
o moglie mia pòrtami da ber   } 2

Tu lo vuoi bianco tu lo vuoi nero
pòrtalo pure come piace a te   } 2

O moglie mia come la vale
che questo vino l'è intorbolì   } 2

Sarà la pompa dell'altro ieri
e che l'à fatto ma intorbolì   } 2

Ma un bambino di pochi meśi
che apena apena cominciò a parlar   } 2

O padre mio non lo sta a bere
che questo vino l'è avvelenà   } 2

E all'onore di questa spada
o moglie mia bévilo tu

e all'onore di questa spada
donna lombarda devi morir

Bibliografia

In un gran numero di raccolte di canti popolari italiani del Nord e del Centro
si trovano lezioni di questa ballata.
Per la Liguria, tuttavia, non conosciamo alcuna documentazione nelle raccolte
a stampa.
Per ulteriore informazione e confronto citiamo quelle raccolte in cui figura, di
Donna lombarda, anche la trascrizione musicale:

M. Borgatti, *Canti pop. emiliani*, Firenze 1962 [m]

A. Cornoldi, *Ande, bali e cante del Veneto*, Padova 1968 [m]

G. Giannini, *Canti pop. padovani*, in "ATP", a. XI, fasc. 2, 1892 [m]

L. Lanaro, *Canzoni pop. del Vicentino*, Milano 1940 [m]

D. Lupinetti, *Contributi di ricerche testuali e melodiche*, ecc, in "Lares", a.
XXIX, fasc. 1/2, 1963 [m]

C. Nigra, *Canti pop. del Piemonte*, Torino 1888 [m]

B. Pergoli, *Canti pop. romagnoli*, Forlì 1894 [m]

F. B. Pratella, *Primo riassunto intorno alla canzone di* Donna Lombarda, in
"Lares", a. VI, fasc. 3/4, 1934 [m]

Id., *Etnofonia di Romagna*, Udine 1938 [m]

Id., *Primo documentario*, ecc., Udine 1941 (vol. 1) [m]

G. Radole, *Canti pop. istriani*, Firenze 1965 [m]

V. Rugarli, *Canti pop. raccolti a Fornovo di Taro*, Bologna 1893 [m]

L. Sinigaglia, *36 Vecchie canzoni pop. del Piemonte*, Leipzig 1913 [m]

M. A. Spreafico, *Canti pop. di Brianza*, Varese 1959 [m]

Z. Zanazzo, *Trad. pop. romane. Canti pop. romani*, Torino 1910 [m]

Donna Lombarda. Fascicolo illustrativo del disco ArchSon SDL/AS/5 [m]

Discografia

* (Orig) *La donna lombarda*
DDS DS 18 (17)

* (Orig) *Il cavaliere crudele* (oltre la lezione di Ceriana, lezioni di Asti, Cerqueto di Fano Adriano, Suno, Cassago)
DDS DS 110/12

* (Orig) *Northern & Central Italy* (CWLFPM, vol. XV)
COL (USA) KL 5173

(Rev) *Il Testamento dell'avvelenato* (canta Sandra Mantovani)
Ricordi DRF 2 (17)
Family SFR-RI 651

(Orig) *Donna lombarda* (lezioni da Puglia, Campania, Lazio, Toscana, Emilia,
Veneto, Lombardia, Piemonte)
ARCHSON SDL/AS 37/5

(Rev) *Servi baroni e uomini* (canta Bruno Pianta)
ALBATROS VPA 8090
(Rev) *Ci ragiono e canto*
DDS DS 119/21
(Rev/Orig) *Una voce un paese* (canta Giovanna Daffini)
DDS DS 146/48 CL
(Rev/Orig) *Canzoni della pianura padana* (canta il Duo di Piadena)
TANK MTG 8002
(Folk) *Le nostre canssôn* (canta Roberto Balocco)
CETRA LPP 107

74. CECILIA
ballata
Pellestrina, Venezia (Veneto)

Questa ballata, molto probabilmente di origine italiana, è una delle
più diffuse e conosciute nel nostro paese, in tutte le regioni, comprese
quelle meridionali e Sicilia (esclusa la Sardegna). Fuori d'Italia questa canzone narrativa ha corrispondenza ma non coincidenza con un
testo catalano.

Cecilia è nelle càrcere   trovare suo marì
Cecilia è nelle càrcere   trovare suo marì [1]

Caro marito mio   na cośa t'ò da di

---

[1] Le strofe che seguono hanno la stessa struttura di questa prima, eccetto le ultime due.

Ghe śé [1] un capitano   che 'l vol dormir con mi

Dormì dormì Cecilia   salvi la vita a mi

Prepara i linsòi [2] bianchi   e 'l letto ben fornì [3]

Coś'é la meźźanotte   Cicilia da un sospir

Cara Cicilia cara   che ti sospir cośì [4]

Mi sento una śmania al petto   mi pare di morir

Coś'é la meźźanotte   Cicilia va al balcon
la vede suo marito   tacato a picolón [5]

Bogia [6] d'un capitano   ti m'à tradìo così
ti me g'à tolto l'onore   la vita al mio marì

Bibliografia

Quasi tutte le raccolte di canti popolari italiani portano lezioni di questa ballata. Segnaliamo lezioni venete già edite:

D. Bernoni, *Canti pop. veneziani*, Venezia 1872

A. Ive, *Canti pop. istriani di Rovigno*, Torino 1877

A. Pasetti, *Canzoni narrative raccolte a Chizzola nel Trentino*, in "Studi Romanici", a. XVIII, 1926

F. B. Pratella, *Primo documentario*, ecc., Udine 1941 (vol. 1) [m]

G. Radole, *Canti pop. istriani*, Firenze 1965 [m]

E. S. Righi, *Canti pop. veronesi*, Verona 1863

C. Vidossi, "Canzoni pop. narrative dell'Istria", in C. V., *Saggi e scritti minori*, Torino 1960

P. Villanis, *Saggio di canti pop. raccolti in Zara e in Arbe*, Zara 1890

G. Widter e A. Wolf, *Volkslieder aus Venetien*, Wien 1864

G. Zanettin, *160 Canti pop. già in uso a Cembra (Trento)*, Milano 1967 [m]

[1] *c'è*
[2] *lenzuola*
[3] *ben preparato*
[4] *che cos'hai che sospiri così*
[5] *impiccato*
[6] *boia*

E ricordiamo raccolte con testi di altre regioni, con musica:

G. Bollini e A. Frescura, *I canti della filanda*, Milano 1940   [m]

L. De Angelis, *Canti pop. della terra picena*, in "Lares", a. XII, 1941   [m]

F.F. Sabatini e A. Parisotti, *Saggio di canzoni e melodie pop. romane*, Roma 1878   [m]

L. Sinigaglia, *36 Vecchie canzoni pop. del Piemonte*, Leipzig 1913   [m]

V. Spinelli, *Poesia pop. e costumi calabresi*, Buenos Aires 1923   [m]

Discografia

* (Rev)   *Servi baroni e uomini* (canta Sandra Mantovani)
ALBATROS VPA 8090

Per versioni piemontesi:
(Orig)   *Il cavaliere crudele*
DDS DS 110/12
(Orig)   *Il Canavese*
ALBATROS VPA 8146
(Rev)   *E per la strada* (canta Sandra Mantovani)
DDS DS 143/45/CL
(Folk)   *Le nostre canssôn* (canta Roberto Balocco)
CETRA LPP 107

Per una versione abruzzese:
(Rev)   *Chiesa Chiesa* (canta Giovanna Marini)
DDS DS 149/51 CL

Per una versione toscana:
(Folk)   *Cittadini e contadini* (esec. Il Canzoniere Internazionale)
ZODIACO VPA 8135

75. LA PESCA DELL'ANELLO / FIORE DI TOMBA
ballata
Cologno al Serio, Bergamo (Lombardia)

Questo testo è un documento singolare e dimostra come nella formazione delle ballate intervengano molto spesso agglomerazioni di temi e motivi narrativi che ricorrono, isolati o altrimenti combinati, in più ballate. Il filo maestro del racconto è ancora quello della *Pesca dell'anello*, esemplificato con il canto n. 78 in questa stessa raccolta, con un documento piemontese. Nel finale, tuttavia, vediamo apparire un motivo che solitamente caratterizza il finale di un'altra ballata, di tutt'altro argomento, nota per lo più, secondo la titolazione letteraria delle raccolte del passato, come *Fiore di tomba*. Cioè la storia della ragazza che piuttosto che lasciare l'amante chiede di morire, di essere sepolta in una "cassa fonda" con l'uomo che ama, il padre e la madre e predice che sulla sua (loro) tomba crescerà un bel fiore a ricordare a quanti passano che lì riposa una ragazza morta per amore. Nel testo bergamasco che qui pubblichiamo il motivo del fiore sulla sepoltura chiude una vicenda tutt'affatto differente. Se teniamo presente che questo finale (con o senza la "cassa fonda") ricorre costantemente in ben due serie dello stesso *Fiore di tomba* (quella caratterizzata dall'inizio tipo "Stamattina mi sono alzata" [1] e quella caratterizzata dall'inizio "Daré a cui buscage", piemontese [2] e occasionalmente come conclusione di altre, quali *La fuga, La bevanda sonnifera, Marburch, La ragazza dei tre amanti, Il corsaro*, si può ragionevolmente dedurre che si tratta in realtà di una formula, adattabile a storie differenti. E in ciò non è certo un esempio unico nella ballata (basterebbe ricordare il motivo della "veste dei trentatré color", e simili). Da notare che nel finale appare, per la protagonista, il nome di Cecilia (vedi il canto n. 74) e affiora un frammento ("Là in piazza di San Marco") di un altro canto ancora, ottocentesco e risorgimentale ("Là in piazza di San Marco / ci stà scritta la mia sentenza") in cui un uomo va alla morte e chiede alla sua donna (Teresina) di aver pazienza. Come si vede si tratta di un testo in cui paiono raggrupparsi, in sostanziale esito coerente, più motivi, variamente emergenti e caratterizzanti.

E l'ai-bel - la la va al fos - so e l'ai-

---

[1] Da questa serie deriva la notissima canzone partigiana *Bella ciao* (vedi canto n. 120) e la successiva versione delle mondine (Si vedano: A. M. Cirese, *Folklore della Resistenza*, breve nota in "*La Lapa*", I, 1, 1953; T. Romano e G. Solza, *Canti della Resistenza Italiana*, Milano 1960; C. Bermani, "*Il repertorio civile di Giovanna Daffini*", in Il Nuovo Canzoniere Italiano, n. 5, 1965 (dove però la versione di risaia è data erroneamente come antecedente a quella partigiana).
[2] Nigra, n. 19.

-bel - la la va al fos - so e l'ai-bel - la la va al
fos - so la va al fos - so a la - var.

E l'ai-bella la va al fosso
e l'ai-bella la va al fosso
e l'ai-bella la va al fosso
la va al fosso a lavar [1]

E nel mentre che la lava
e l'anèl si gh'è cascà

Si lan valsa [2] gli occhi al cielo
si lan vede mai nessün

I lan valsa gli occhi all'ombra
si lan vede un pescator

O pescator chi pesca i pesci
se vürì [3] pescà 'l me anèl

O si si ch'el peschería
ma mè vöi vès [4] pagà

Vi darò trecento scudi
e la borsa del danar

Me non vòi ne ŭn ne l'alter [5]
e sul [6] che un bacin d'amor

---

[1] Le strofe che seguono hanno la stessa struttura di questa prima.
[2] *alza*
[3] *vorrete, voleste*
[4] *voglio essere*
[5] *Io non voglio né l'uno né l'altro*
[6] *solo, soltanto*

E piutosto che baciarti
e me salterò i nel mar

Quando poi sarò 'negata
mi farete sepelir

Là in piazza di San Marco
là vicino al mio marì

E sopra la sepoltura
pientirete dei bei fior

E tuta la gent chi passa
lor diranno che bei fior

Si l'è 'l fior della Cicilia
che l'è morta per l'amor

Bibliografia

Il testo della *Pesca dell'anello* è ampiamente documentato in molte raccolte lombarde. Per le edizioni (non soltanto lombarde) con musica si veda la nota bibliografica al canto n. 78.

Il motivo del "fiore di tomba" ricorre in un gran numero di testi editi delle due serie principali sopra ricordate. Fra le raccolte con musica citiamo:

G. Bollini e A. Frescura, *I canti della filanda*, Milano 1940 [m]

M. Borgatti, *Canti pop. emiliani*, Firenze 1962 [m]

C. Nigra, *Canti pop. del Piemonte*, Torino 1888 [m]

C. Pargolesi, *Canti pop. trentini*, Trento, sd. (ma 1892) [m]

F. B. Pratella, *Primo documentario*, ecc. (vol. 2), Udine 1941 [m]

G. Radole, *Canti pop. istriani*, Firenze 1965 [m]

L. Sinigaglia, *24 Vecchie canzoni pop. del Piemonte*, Milano 1954 [m]

M. A. Spreafico, *Canti pop. di Brianza*, Varese 1959 [m]

G. Zanettin, *160 canti pop. già in uso a Cembra*, Milano 1967 [m]

Discografia

*(Orig) *Il cavaliere crudele*
DDS DS 110/12

Per lezioni di *Fiore di tomba*:
(Orig) *Southern Italy & the Islands* (CWLFPM, vol. XVI)
COL (USA) KL 5174

(Rev) *Il testamento dell'avvelenato* (canta Sandra Mantovani)
Ricordi DRF Z (17)
Family SFR-RI 651
(Rev) *Chiesa Chiesa* (canta Giovanna Marini)
DDS DS 149/51 CL

76. EL FIOL DEL SIGNOR CONTE
ballata
Santa Croce di San Pellegrino, Bergamo (Lombardia)

Ballata assai diffusa in tutta l'Italia settentrionale e giù fino all'Abruzzo e al Lazio. Appartiene al grande filone della "balladry" europea e la medesima storia ricorre in testi anglo-scozzesi, francesi, spagnoli, tedeschi, olandesi, scandinavi, ungheresi e slavi. Nelle raccolte italiane è generalmente riportata col titolo *Un'eroina*. Il corrispondente anglo-sassone è la famosa *Lady Isabel and Elf-Knight* (Child 4).

Questo canto narrativo è conosciutissimo in tutto il territorio bergamasco, dov'è una delle canzoni più ricordate e cantate.

El fiol del signor conte   vuleva to moèr [1]
el fiol del signor conte   vuleva to moèr
e voleva spośar l'inglеśa   i 'era figlia d'un cavalier
e voleva spośar l'inglеśa   i 'era figlia d'un cavalier [2]

La sera la dimanda [3]   e la notte la sposò
e la mattin bonora   per la Francia se ne andò

---

[1] *voleva prendere moglie*
[2] Le strofe che seguono hanno la stessa struttura di questa prima.
[3] *la chiede in sposa*

Ne fece trenta miglia   e l'ingleśa mai parlò
ne fece trenta d'altri   la comincia a sospirar

Cośa suspiré ingleśa   cośa suspiré mai vu
sospiro la mia mamma   che mai più la rivedrò

Se sospiré per quello   e non è ni-ent de mal
ma se sospiré per altro   il coltello l'è preparà

O lei o signor conte   m'impresti la sua spada
voglio tagliar 'na rama   per far ombra al mio caval

Quand'ebbe la sua spada   nel cuor gliela piantò
e poi montò a cavallo   e a caśa se ne tornò

Bibliografia

Presente in numerose raccolte, con materiale piemontese, veneto, emiliano, toscano, abruzzese, laziale, per la Lombardia non conosciamo che un'unica lezione a stampa:
M. A. Spreafico, *Canti pop. di Brianza*, Varese 1959

Testi con melodia sono in:
G. Radole, *Canti pop. istriani*, Firenze 1965 [m]
V. Rugarli, *Canti pop. raccolti in Fornovo di Taro*, Bologna 1893 [m]

Discografia

(Orig) *Northern & Central Italy* (CWLFPM, vol. XV)
COL (USA) KL 5173
(Rev) *Almanacco Popolare / Canti popolari italiani* (cantano Sandra Mantovani, Enrico Sassoon, Moni Ovadia e Bruno Pianta)
ALBATROS VPA 8089
(Orig/Rev) *I giorni cantati*
DDS DS 164/66

Per una versione piemontese:
(Orig) *Il cavaliere crudele*
DDS DS 110/12
(Folk) *Le nostre canssón* (canta Roberto Balocco)
CETRA LPP 107

77. IL MARINAIO
ballata
Cesacastina, Teramo (Abruzzo)

Questa ballata è stata raccolta, secondo le collezioni edite, soprattutto in area emiliana (per l'Italia settentrionale) e nell'Italia centrale è largamente segnalata fino all'Abruzzo e al Lazio. È nota anche in Corsica, quasi sicuramente per importazione dalla Toscana. Durante la Resistenza, questa ballata ha avuto una versione partigiana (vedi canto n. 118).

Marinaio che vai per mare
marinaio che vai per mare
vado per mare pel ciel seren
per ritrovare l'amato ben
vado per mare pel ciel seren
per ritrovare l'amato ben [1]

---

[1] Le strofe che seguono hanno la stessa struttura di questa prima.

Questa sera dov'anderemo
anderemo de là del mar
là dall'oste a bere e mangiar

Dopo mangiato e ben bevuto
il marinaio tentator
della figliola s'innamorò

Marinaio perchè mi rimiri
rimiro gli occhi del tuo bel cuor
che per amore sposar ti vò

La mia figlia te la darevi
pur che mi giuri la fedeltà
di star sett'anni non la toccà

Questo poi non sarà mai
d'aver 'na giovane la libertà
di star sett'anni non la toccà

E in capo a li sett'anni
il marinaio se la sposò
e in alto mare se la portò

Quando fu in alto mare
la barchetta se rivoltò
la bella Irene vi si affondò

Se campassi altri cent'anni
il marinaio non lo vòi più
mi à rovinata la gioventù

Bibliografia

E. Nobilio, *Vita trad. dei contadini abruzzesi del territorio di Penne*, Firenze 1962

L. De Angelis, *Canti pop. della terra picena*, in "Lares", a. XII, 1941   [m]

Testi con musica sono in:

J. Canteloube, *Anthologie des Chants Pop. Français*, Paris 1951 (vol. 1 / Corsica)   [m]

C. Grimandi, *18 Canzoni emiliane*, Bologna, sd.   [m]
E. Masetti, *Canti emiliani*, Milano 1928   [m]
B. Pergoli, *Saggio di canti pop. romagnoli*, Forlì, 1894   [m]
F. B. Pratella, *Primo documentario*, ecc., Udine 1941 (vol. 1)   [m]
G. Zanazzo, *Trad. pop. romane. Canti pop. romani*, Torino 1910   [m]

Discografia

Per una versione ligure:
(Rev) *Canti popolari italiani / Almanacco popolare*
ALBATROS VPA 8089

78. LA PESCA DELL'ANELLO
ballata
Vico Canavese, Torino (Piemonte)

Una delle più diffuse e conosciute fra le ballate italiane. Si tratta
quasi sicuramente di un testo originario del nostro paese, con punti
di contatto, nelle prime strofe, con la famosa canzone almeno cin-
quecentesca (è citata dallo Zarlino) della *Girometta*. *La pesca del-
l'anello* sembra anche connessa con una nota leggenda meridionale
(pugliese o siciliana), quella di Cola Pesce. Per un testo con conta-
minazioni da *La pesca dell'anello* si veda il canto n. 75.

Noi sia-mo tre so-rel-le noi sia-mo tre so-rel-le e

tut-te e tre in a — mor   Ni – net-ta la più

bel – la   si mi-se a na-vi- gar.

Noi siamo tre sorelle
noi siamo tre sorelle   e tutte tre in amor
Ninetta la più bella   si miśe a navigar

E navigar che fece
e navigar che fece   l'anello cadde in mar
guardando verso l'onda   lei vide un marinar

O marinar dell'onda
o marinar dell'onda   venite un po' a pescar
pescàtemi l'anello   che m'è caduto in mar

Quando l'avrò pescato
quando l'avrò pescato   che cośa mi darai
cento monete d'oro   la borsa ricamà

Cento no no non voglio
cento no no non voglio   nè borsa ricamà
solo un bacin d'amore   per consolar 'sto cuor

Bibliografia

Largamente documentata in un gran numero di raccolte. Citiamo quelle con lezioni piemontesi:

G. Ferraro, *Canti pop. del Basso Monferrato*, Palermo 1888
C. Nigra, *Canti pop. del Piemonte*, Torino 1888 [m]

Testi con musica in:

G. Bollini e A. Frescura, *I canti della filanda*, Milano 1940 [m]
J. Canteloube, *Anthologie des Chants Pop. Français*, Paris 1951 (vol 1 / Corsica) [m]
A. Cornoldi, *Ande, bali e cante del Veneto*, Padova 1968 [m]
A. Frescura, *Le canzoni della guerra e della montagna*, Milano 1940 [m]
C. Pargolesi, *Canti pop. trentini*, Trento, sd. (ma 1892) [m]
F. B. Pratella, *Etnofonia di Romagna*, Udine 1938 [m]
Id., *Primo documentario*, ecc., Udine 1941 (voll. 1 e 2) [m]
G. Radole, *Canti pop. istriani*, Firenze 1965 [m]
P. Toschi, *Romagna solatìa*, Milano sd. [m]
G. Zanazzo, *Trad. pop. romane. Canti pop. romani*, Torino 1910 [m]

Discografia

* (Rev) *Almanacco Popolare / Canti popolari* (canta Sandra Mantovani)
ALBATROS VPA 8089
(Rev) *Canzoni della Pianura Padana* (canta il Duo di Piadena)
TANK MTG 8002
(Folk) *Milanese* (canta Nanni Svampa)
DURIUM MS AI 77251

79. I FALCIATORI
ballata
Montagna pistoiese (Toscana)

Questa bella ballata pare propria della Toscana e dell'Umbria, area
dov'è stata più volte raccolta ed è ancora conosciuta. La ballata che
le raccolte settentrionali, per esempio il Nigra (n. 65), pubblicano
con il titolo *I falciatori* non ha con questa toscana che un occasionale
punto di contatto nella prima strofa. La storia è del tutto differente.

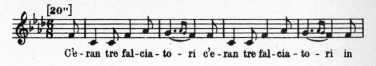

C'e-ran tre fal-cia-to-ri c'e-ran tre fal-cia-to-ri in

u-un pra-to a fal-ciar — in u-un pra-to a fal-ciar. —

C'eran tre falciatori   c'eran tre falciatori
in un prato a falciar   in un prato a falciar

Col rastrellin dell'oro   col rastrellin dell'oro
la bella rastrellà   la bella rastrellà

E mentre rastrellava   e mentre rastrellava
suo amor morto trovò   suo amor morto trovò

A piangere si mise   a piangere si mise
e pianse più di un po'   e pianse più di un po'

Con le sue amare lacrime   con le sue amare lacrime
la bella lo lavò   la bella lo lavò

Con i lunghi capelli   con i lunghi capelli
la bella l'asciugò   la bella l'asciugò

Con le sue bianche braccia   con le sue bianche braccia
la bella lo portò   la bella lo portò

E sul suo bianco letto   e sul suo bianco letto
la bella lo posò   la bella lo posò

Tre doppi di campane   tre doppi di campane
la bella gli suonò   la bella gli suonò

Fino a la sepoltura   fino a la sepoltura
la bella l'accompagnò   la bella l'accompagnò

Sopra vi fece scrivere   sopra vi fece scrivere
qui giace due amator   qui giace due amator

L'un morto di coltello   l'un morto di coltello
e l'altro per amor   e l'altro per amor

Bibliografia

G. Giannini, *Canti pop. toscani*, Firenze 1921
Id., *Canti pop. della montagna lucchese*, Firenze-Roma 1889
G. Mazzoni, *Poesia popolare*, in "Cronaca minima", a. I, n. 7, 1887
M. Barbi, *Saggio di canti pop. pistoiesi*, in "ATP" a.VIII, fasc. 1, 1889
Id., *Poesia pop. pistoiese*, Firenze 1895
G. Mazzatinti, *Canti pop. umbri*, Bologna 1883

Discografia

* (Rev)   *Canzoniere toscano* (canta Caterina Bueno)
CETRA LPP 217

80. MIO AMOR L'È ANDÀ A LA GUERRA

ballata
Ripalta Nuova, Cremona (Lombardia)

Nelle raccolte questa ballata è solitamente pubblicata con il titolo *La prova*. Risulta segnalata in tutta l'Italia settentrionale e in gran parte delle province centrali e meridionali, almeno fino alla Campania. Ha corrispondenza con varie ballate europee e testimonia certo un livello arcaico, almeno come origine.

* Le strofe seguenti più veloci [= 10" ciascuna]

　　　Non posso cantar ne rìdere
　　　che 'l mio cuor l'è appassionà
　　　non posso cantar ne rìdere
　　　che 'l mio cuor l'è appassionà

　　　Mio amor l'è 'ndà a la guerra
　　　chissà quando ritornerà　　　} 2

　　　Se io saprei la strada
　　　l'anderìa a ritrovà　　　} 2

　　　A meźźa strada in punto
　　　d'un bel giovane la g'à incontrà　　　} 2

Dimmi dimmi bel giovane
tu non l'ài visto il mio primo amor   } 2

Si si che l'ò ben visto
ma l'ò mai conosciù   } 2

Dimmi dimmi bel giovane
come l'era lü vestì   } 2

La giubba di scarlatta
pantaloni d'imperator   } 2

Dimmi dimmi bel giovane
da chi l'era acumpagnà   } 2

D'un frate e tre becchini
ma che andavan suterrà   } 2

Liśetta la getta un grido
e a terra tramortì   } 2

Sta su sta su Liśetta
che son io il tuo primo amor   } 2

E al suon delle campane
la Liśetta la si sposò   } 2

Bibliografia

Troviamo questa ballata in un gran numero di raccolte. Per la Lombardia citiamo:

G. B. Bolza, "Canzoni pop. comasche", in *Sitzungsberichte der Philosophisch-Historischen classe der Kaiserlichen Akademie der Wissenschaften*, Band LIII., Wien 1867   [m]

A. Frescura e G. Re, *Canzoni pop. milanesi*, Milano 1939   [m]

M. A. Spreafico, *Canti pop. di Brianza*, Varese 1959   [m]

Lezioni di altre regioni con musica:

M. Borgatti, *Canti pop. emiliani*, Firenze 1962 [m]
F. B. Pratella, *Etnofonia di Romagna*, Udine 1938 [m]
Id., *Primo documentario*, ecc., Udine 1941 (vol. 1) [m]
G. Radole, *Canti pop. istriani*, Firenze 1965 [m]

Discografia

* (Orig) *E la partenza per me la s'avvicina*
DDS DS 514/16
* (Rev) *Almanacco Popolare* / *Canti popolari italiani* (cantano Sandra Mantovani ed Eva Tormene)
ALBATROS VPA 8089

81. E L'AN TAGLIA I SUOI BIONDI CAPELLI
ballata
Valtorta, Bergamo (Lombardia)

È la versione moderna, databile alla prima guerra mondiale, di una ballata arcaica, ampiamente diffusa nell'Italia settentrionale, nota nelle raccolte con il titolo di *La ragazza guerriera*, o *La guerriera*. La versione recente ha quasi ovunque soppiantato quella più antica, che però è ancora ricordata in molti luoghi e spesso si sovrappone a questa.

Il tema della ragazza che si traveste da uomo per andare alla guerra in luogo del padre o dell'amante ricorre con frequenza in molti testi della "balladry" europea.

Fra le molte lezioni disponibili ne abbiamo scelta una che conserva, delle versioni più antiche, la serie delle "prove" cui la ragazza vien sottoposta dall'ufficiale che sospetta della sua identità, serie che nei testi più correnti di solito è scomparsa, o rimasta appena come traccia.

E l'an ta-glia i suoi bion-di ca-pel-li   la si

ve - ste da mi - li - tar —— le la mon - ta su - l ca-
-val - lo ver - so il Pia - ve la se — ne va.

E l'an taglia i suoi biondi capelli
la si veste da militar
lé la monta sul cavallo
verso il Piave la se ne va

Quan' fu giunta in riva al Piave
d'un tenente si l'à incontrà
rassomigli a una donźella
fidanzata d'un mio soldà

Na donźella io non sono
ne l'amante di un suo soldà
sono un povero coscritto
dal governo son stai richiamà

Il tenente la preśe per mano
la condusse in meźźo ai fior
e se lei sarà una donna
la mi coglierà i miglior

I soldati che vanno alla guerra
non raccolgono mai dei fior
ma àn soltanto la baionetta
per combatter l'imperator

Il tenente la preśe per mano
la condusse in riva al mar
e se lei sarà una donna
la si laverà le man

I soldati che vanno alla guerra
non si lavano mai le man
ma soltanto una qualche volta
con il sangue dei cristian

Il tenente la preśe per mano
la condusse a dormir
ma se lei sarà na donna
la dirà che non può venir

I soldati che vanno alla guerra
lor non vanno mai a dormir
ma stan sempre su l'attenti
se un qualche attacco l'an védon venir

Suo papà l'era a la porta
e sua mamma l'era al balcon
per veder la sua figlia
che ritorna dal battaglion

Verginèlla ero prima
verginèlla sono ancor
ed ò fatto sett'anni a la guerra
sempre al fianco del mio primo amor

Bibliografia

F. B. Pratella, *Primo documentario*, ecc., vol. 1, Udine 1941   [m]

S. Lodi e G. Morandi, *Autobiografia e repertorio di Adelaide Bona*, in "Il Nuovo Canzoniere Italiano", n. 7/8, 1968   [m]

R. Leydi, *Canti sociali italiani*, vol. 1, Milano 1963   [m]

Discografia

* (Rev)   *Servi baroni e uomini* (canta Sandra Mantovani)
ALBATROS VPA 8090

82.   VIVA LA RUSSIA VIVA LA PRUSSIA
canto storico
Cologno al Serio, Bergamo (Lombardia)

Questa canzone su Napoleone I è fra i canti d'argomento storico più importanti (e, da un altro punto di vista, più singolari) raccolti nel nostro paese, ancora vivi nell'uso o almeno nella memoria. È importante perché costituisce una delle pochissime testimonianze certe del ricordo di Napoleone nel canto popolare contemporaneo. È singolare per il modo con cui il grande generale viene rappresentato, cioè come un povero soldato che lamenta, oltre che la sconfitta, anche i mali della guerra e il fatto d'aver dovuto fare per diciotto anni il soldato.

Viva la Russia viva la Prussia era parte, fino a giorni a noi vicini, del repertorio militare e soprattutto di filanda.

Viva la Russia viva la Prussia
viva la Spagna e l'Inghilterra
che n'à 'ntimato d'una gran guerra
a questo povero Napoleon

Napoleone comincia a dire
povero me coś'ò mai fatto

sol per venire a entrare in Russia
'ncontrai 'na truppa mi ànno fermà

Napoleone comincia a dire
porté 'na penna e un carimaio
che voglio scrivere in carta bianca
con la speranza di ritornà

Napoleone comincia a dire
porté 'na penna e un carimaio
che voglio scrivere la vita mia
che l'è diciott'anni che faccio 'l soldà

Bibliografia

R. Leydi, *Canti sociali italiani*, vol. 1, Milano 1963   [m]
A. Cornoldi, *Ande, bali e cante del Veneto*, Padova 1968   [m]

Discografia

* (Orig)   *Addio padre*
DDS DS 304/6 CL
* (Rev)   *Il Testamento dell'avvelenato* (canta Sandra Mantovani)
RICORDI DRF 2 (17)
Family SFR-RI 651

83. QUELL'UCCELLIN DEL BOSCH
canto storico
Suno, Novara (Piemonte)

È la versione "risorgimentale" della notissima canzone lirico-narrativa che, con il medesimo titolo (o molto simile) ricorre in un gran numero di raccolte ed è presente e conosciuta in quasi tutta Italia (ma soprattutto al Nord). Le due versioni sono molto simili nell'impianto generale (in quella amorosa la "lettera insigillata" è ovviamente portata, dall'uccellino del bosco, a una ragazza e contiene una richiesta di matrimonio) e spesso convivono nel medesimo repertorio personale.

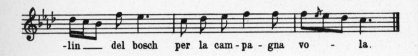

Quell'uccellin del bosch
quell'uccellin del bosch
per la campagna vola
quell'uccellin del bosch
per la campagna vola [1]

Dove 'l sarà volà
in braccio a Garibaldi

Cośa 'l g'avrà portà
una lettera insigillata

Cośa 'l g'aveva sü
da libaré l'Italia

Chi l'è stu liberator
Giuśeppe Garibaldi

Traduzione

Quell'uccellino del bosco / per la campagna vola
Dove sarà volato / in braccio a Garibaldi
Che cosa gli avrà portato / una lettera sigillata

[1] Le strofe che seguono hanno la stessa struttura di questa prima.

Che cosa ci sarà stato su / di liberare l'Italia
Chi è questo liberatore / Giuseppe Garibaldi

Bibliografia

Questo canto, sia nella versione amorosa che in quella risorgimentale, è pubblicato in numerose raccolte. Ne citiamo alcune tra quelle che riferiscono anche la musica.

Per la versione risorgimentale:

R. Leydi, *Canti sociali italiani*, vol. 1, Milano 1963   [m]

F. B. Pratella, *Etnofonia di Romagna*, Udine 1938   [m]

A. Frescura e G. Re, *Canzoni pop. milanesi*, Milano 1939   [m]

M. A. Spreafico, *Canti pop. di Brianza*, Varese 1959   [m]

Per la versione amorosa:

C. Nigra, *Canti pop. del Piemonte*, Torino 1888   [m]

A. Frescura e G. Re, *Canzoni pop. milanesi*, Milano 1939   [m]

S. Lodi e G. Morandi, *Autobiografia e repertorio di Adelaide Bona*, in "Il Nuovo Canzoniere Italiano", n. 7/8, 1966   [m]

Discografia

Per la versione amorosa:

(Rev) *Le canzoni di "Bella ciao"* (cantano Cati Mattea e Silvia Malagugini) DDS DS 101/3

(Folk) *Milanese* (canta Nanni Svampa) DURIUM MS AI 77252

(Folk) *Le nostre canssôn* (canta Roberto Balocco) CETRA LPP 109

Cantastorie contemporanei

Eredi di una grande tradizione, i cantastorie esistono ancora oggi, anche se la loro esistenza è diventata molto difficile e il loro repertorio tende a degradarsi. In Sicilia il vecchio mestiere dell' "orbo" è stato, negli ultimi quarant'anni, rinnovato e rinvigorito per merito di due cantastorie: Orazio Strano, di Riposto e Cicciu Busacca, di Paternò. Prima Strano, poi Busacca hanno dato nuova vita e nuovo significato di comunicazione sociale al mestiere di cantastorie, affrontando con linguaggio moderno (ma nel filo della tradizione) tematiche del nostro tempo.

Nel Nord, la tradizione del cantastorie non è spenta e conta ancora su alcuni gruppi e alcuni isolati che, regolarmente alcuni, saltuariamente altri, girano le fiere, le sagre, i mercati a cantare "fatti", come loro dicono, e canzonette e a vendere lamette per la barba, collanine, acqua benedetta di Lourdes, ecc. Ricordiamo i nomi di alcuni di questi cantastorie: Marino Piazza, Lorenzo De Antiquis, Antonio Ferrari, Adriano Callegari, i coniugi Cavallini, Giuseppe e Mirella Bargagli (che sono toscani ma utilizzano moduli di tipo settentrionale).

Abbiamo scelto dal loro repertorio recente alcune "storie" che danno l'idea della loro produzione migliore. Queste storie sono precedute da un "classico" ormai, la "storia" di Sante Caserio che non abbiamo più dai cantastorie contemporanei ma dalla memoria popolare. Essa, però, rappresenta un modello esemplare della tradizione moderna del cantastorie e fu cantata sulle piazze d'Italia per molti anni. Utilizza una melodia che ancor oggi ha larghissimo impiego e viene solitamente ricordata, dai cantastorie stessi, come "aria di Caserio".

Bibliografia

Per maggiori notizie sui cantastorie contemporanei, nel Nord e in Sicilia, si vedano:

R. Leydi, "I cantastorie", in AA.VV., *La Piazza*, Milano 1959

A. Buttitta, "Cantastorie in Sicilia" (Premessa e testi), in *Annali del Museo Pitrè*, VII-X, 1957/1959

"Il Cantastorie", pubblicazione periodica diretta da G. Vezzani, n. 1 (dic. 1963)... in corso (Reggio Emilia)

84. LE ULTIME ORE E LA DECAPITAZIONE DI SANTE CASERIO
"fatto" da cantastorie

Sante Caserio è l'anarchico lombardo (nato a Motta Visconti l'8 settembre 1873) che, il 24 giugno 1894, a Lione, uccise con una pugnalata al petto il presidente della repubblica francese Sadi Carnot. Processato e condannato a morte, venne ghigliottinato, a Lione, il 16 agosto 1894.

Il fatto suscitò enorme impressione ed emozione, anche al di fuori degli ambienti anarchici. Anche il comportamento di Caserio durante il processo, coraggioso e fermo (ai giudici che volevano a tutti i costi fargli confessare d'aver agito con dei complici, in un vero e proprio complotto,[1] Caserio rispose che lui faceva il fornaio e non la spia), contribuì a creare attorno all'ex-panettiere italiano un alone di leggenda e un vivo sentimento di commozione e solidarietà popolari. I cantastorie italiani portarono subito in giro questa e altre ballate su di lui, con enorme successo. E altre canzoni, d'autore [2] e popolari [3] nacquero in quei giorni.

Il testo che qui pubblichiamo è desunto da un foglio volante (uno dei molti pubblicati, in dettati identici o molto simili) che porta la

---

[1] Sante Caserio agì quasi sicuramente da solo.

[2] La più nota è quella scritta dall'avvocato anarchico Pietro Gori, probabilmente a Lugano (dove si trovava esule) nel 1894. Per questo canto si veda: "Il Nuovo canzoniere Italiano", n. 3, settembre 1963. In disco: *Canti anarchici*, 3 (DDS DS 28) e *Addio Lugano Bella* (DDS DS 152/54 CL), esecuzioni di Sandra Mantovani.

[3] Per un adattamento partigiano di una di queste canzoni su Sante Caserio si veda, in questa stessa raccolta, il testo n. 119 (*E quei briganti neri*).

firma Pietro Cini. La melodia è stata raccolta presso Forlì, ma corrisponde a quella in uso ovunque il canto è ricordato. Questa melodia è ancor oggi usata dai cantastorie che la dicono "aria di Caserio".

Il ritornello strumentale, oltre che all'inizio, viene ripetuto ogni quattro strofe. Dopo l'ultima strofa viene la cadenza finale.

Il sedici di agosto
sul far della mattina
il boia avea disposto
l'orrenda ghigliottina
  mentre Caśerio dormiva ancor
  senza pensare al triste orror

Entran nella prigione
direttore e prefetto
con voce di emozione
śvegliorno il giovinetto
 disse śvegliandosi che cośa c'è
 è giunta l'ora alzatevi in piè

Udita la notizia
si cambiò nell'istante
veduta la giustizia
stupì tutto tremante
 li chieśer prima di andare a morir
 dite se avete nulla da dir

Cośì disse al prefetto
all'or ch'io morto sia
prego questo biglietto
date alla madre mia
 posso fidarmi che lei lo avrà
 mi raccomando per carità

Altro non ò da dire
schiudetemi le porte
finito è il mio soffrire
via datemi la morte
 e tu mia madre dai fine al duol
 e darti pace del tuo figliuol

Poi con precauzione
dal boia fu legato
e in piazza di Lione
fu quindi trasportato
 e spinto a forza il capo entrò
 nella mannaia che lo troncò

Spettacolo di gioia
la Francia manifesta

gridando evviva il boia
che gli tagliò la testa
 gente tiranna e senza cor
 chi sprezza e ride l'altrui dolor

Allor che n'ebbe avviśo
l'amata genitrice
le lacrime nel viśo
scorreano all'infelice
 era contenta la madre almen
 pria di morire stringerlo al sen

L'orribile dolore
le fé bagnare il ciglio
pensar solo al terrore
che li piombò nel figlio
 miśera madre quanto soffrì
 quando tal nuova del figlio udì

Io pregherò l'Eterno
o figlio śventurato
che dal tremendo averno
ti faccia liberato
 così pregando con forte źel
 l'alma diviśa ritorni in ciel

Bibliografia

"Il Nuovo Canzoniere Italiano", n. 3, Milano, settembre 1963   [m]

Discografia

* (Rev) *E per la strada* (canta Sandra Mantovani)
DDS DS 143/45CL
* (Rev/Orig) *Canti anarchici*, 2 (canta Giovanna Daffini)
DDS DS 11 (17)
* (Rev) *Controcanale '70* (canta Giovanna Marini)
DDS DS 1003/5

85. LA STORIA DI LUCIANO LUTRING

"fatto" da cantastorie
Pavia (Lombardia)

Testo scritto dal cantastorie pavese Adriano Callegari e cantato dal
suo compagno Antonio Ferrari. Tipico "fatto" da cantastorie settentrionale, su un personaggio di cronaca, Luciano Lutring. Lutring
è attualmente in carcere in Italia.

-re - no   ad   un trat - to   di   nu - bi   si o -

-scu-ra   e tra   tuo-ni   che fan-no pa - u - ra   tut - to

Mi+

Finale

pa-re al-l'in-tor-no tre - mar.

La+   Mi+   La+

Spesse volte un bel cielo sereno
ad un tratto di nubi si oscura
e tra tuoni che fanno paura
tutto pare all'intorno tremar

Nella vita succede a qualcuno
se il cervello più non ragiona
è Lutring costui la persona
che la storia vi voglio narrar

Ricalcando le sceneggiature
del gangsterismo americano
Lutring inizia da solo a Milano
un cammino sbagliato e infernal

La sua mamma consigli gli dava
anche il babbo lo stesso faceva
nel vedere che a lui non piaceva
un onesto e giusto lavor

Tutte quelle assennate parole
si perdevan portate dal vento
non cambiava il suo sentimento
e bandito divenne così

L'inafferrabile solista del mitra
primo attore di cronaca nera
frequentava i naitclub alla sera
e da nababbo viveva così

* Adesso siamo alla seconda parte credo che sia la parte più interessante
più incisiva e più bella di questo tema popolare da cantastorie: a voi il
seguito prego [1]

---

[1] L'asterisco indica che questa parte è recitata e non cantata. I cantastorie settentrionali
introducono normalmente, alla metà del "fatto", questa presentazione. L'intervento
ha lo scopo di consentire di voltare il foglio con il testo, fissato sulla fisarmonica.
Infatti quasi mai i cantastorie del nord conoscono a memoria le storie che cantano.

Trova Ivonne una gran ballerina
lui la porta come spośa all'altare
anche lei non riesce a cambiare
la sua vita di rapinator

Abbiam letto su tutti i giornali
rapine e furti a lui imputati
da banditi che sono arrestati
e lo accuśano senza pietà

È passato di già più d'un anno
il Lutring non riescono arrestare
ogni persona si può domandare
se di tutto colpevole lui è

Anche il padre per televiśione
invita il figlio errabondo a tornare
e andarsi subito a consegnare
ci sarà giustizia e pietà

Luciano torna sarai processato
la prigione lo so che ti attende
ma son certo pagherai solamente
i soli errori che ài fatto tu

Esser poveri non è un diśonore
finita la pena potrai ritornare
da tua moglie che ti sta aspettare
felici insieme vivrete cośì

Bibliografia

R. Leydi, *Le trasformazioni socio-economiche e la cultura tradizionale in Lombardia*, Milano 1972 (con disco)

Discografia

* (Orig) Disco allegato alla pubblicazione cit. in Bibl.

86. PAPÀ CERVI RAGGIUNGE I SETTE FIGLI
"fatto" da cantastorie
Marina di Grosseto (Toscana)

Composizione del cantastorie grossetano Giuseppe Bargagli, cantata dalla figlia Mirella. Questa "storia" è stata scritta nel 1970, per ricordare la morte di Alcide Cervi, padre di sette figli fucilati dai fascisti e dai tedeschi durante la Resistenza in Emilia.

Ma nel-l'an - no set - tan-ta ___ pa - pà Cer - vi mo-

-ri - va ___ ma sem-pre c'in - se - gna-va ___

al fian-co suo lot - tar. ___ As - sie-me ai set - te

Il II tema abbraccia due strofe, la fisarmonica, dopo aver eseguito come introduzione tutto il tema, ritornella solo la seconda parte.

Or vi narro l'orribile storia
che è accaduta a Reggio Emilia
lì viveva un'onesta famiglia
papà Cervi coi sette figliol

Quando avvenne quell'otto settembre
che il fascismo costrinse alla reśa
preśe il via la tremenda impreśa
che nessuno mai dimenticherà

Venticinque novembre è la data
nel quarantatré l'anno rapace
papà Cervi lottò per la pace
i sette figli divenner partigian

Il ventotto dicembre i fascisti
arrestarono i sette fratelli
gran torture con i manganelli
poi condanna a morte ne fu

Papà Cervi pur venne arrestato
non pensava all'atroce misfatto
la notizia venne data a un tratto
fucilati i suoi figli son già

Quanta pena quel genitore
ha provato per più di vent'anni
gran dolore, angoscia ed affanni
per la famiglia distrutta così

Papà Cervi coi figli e la moglie
viveva in terra emiliana
di lavoro onesto ed umano
e lottando per la libertà

Ma piombo nemico ed infame
nelle mani di quegli assassini
decreta la fine di quei poverini
che chiamano mamma e papà

Ma nell'anno settanta [1]
papà Cervi moriva
ma sempre ci insegnava
al fianco suo lottar

Assieme ai sette figli
ora tu sei riunito
in molti ànno capito
gridano libertà

Quante persone vivono
sotto il suo insegnamento
per la pace è giunto il momento
nessuno ci fermerà

[1] Da questa strofa alla fine del canto viene usato il II tema.

Addio papà Cervi
addio alla tua terra
fermata sia ogni guerra
viva la libertà

Ora piange l'Emilia
piange il Paeśe intero
ci son croci nel cimitero
con la scritta cośì

Ripośa papà Cervi
assieme ai sette figli
morti sotto gli artigli
del fascio traditor

VII
Canti di lavoro e sul lavoro

Quella dei cosiddetti "canti di lavoro" è una categoria assai ampia e (come tutte le categorie che dall'esterno sono state adottate per la classificazione del materiale comunicativo popolare) in parte arbitraria. Infatti si è soliti far rientrare sotto la definizione di "canti di lavoro" non soltanto quei canti specifici che vengono utilizzati per ritmare il lavoro (soprattutto collettivo), ma anche quelli che sono destinati ad accompagnare o alleviare la fatica e la noia del lavoro, individuale e collettivo.

Mentre i canti del primo tipo hanno strutture ritmiche e di impianto generale in diretta corrispondenza con le precise necessità funzionali cui sono destinati, i secondi non sono definibili entro schemi altrettanto rigidi, anche se una connessione fra "gesto" e "canto" esiste pure in essi, riferiti come sono, comunque, al ritmo più o meno obbligato di movimenti corporali sostanzialmente periodici. In generale, però, la latitudine di scelta ritmica e strutturale dei canti non destinati a ritmare un lavoro ma soltanto accompagnarlo o alleviarlo è molto più grande che non quella dei canti con una funzionalità ritmica assoluta. Per questo la categoria dei canti di lavoro non ritmici (o meglio, non strettamente ritmici) è vastissima e non delimitabile e in essa rientrano canzoni le più diverse per tipo, metro e contenuto. Per pura convenienza pratica si suole restringere l'area dei canti di lavoro non ritmici a quei canti nei cui testi ricorrono riferimenti al lavoro e alla condizione di lavoro.

Il canto di lavoro è presente in tutte le civilizzazioni e costituisce, all'interno delle varie tradizioni orali, uno dei momenti più arcaici e stilisticamente sintomatici. La sua esistenza è connessa strettamente all'esistenza del lavoro cui s'accompagna (soprattutto nel caso dei canti ritmici) e la sparizione del lavoro segna quasi sempre la sparizione anche del canto.

Nella maggior parte dei casi i canti di lavoro non hanno accompagnamento strumentale. Sono intonati dalla voce sola sullo sfondo dei rumori del lavoro, rumori che talora intervengono ritmicamente nel canto e ne divengono parte integrante. Si hanno esempi, però, di partecipazione strumentale, anche in Europa.

Le trasformazioni introdotte nelle tecniche del lavoro manuale dallo sviluppo tecnologico hanno fatto scomparire gran parte dei canti ritmici di lavoro un tempo comunissimi in tutta Europa. La fine della marina a vela e l'avvento del vapore, per esempio, hanno determinato la rapidissima estinzione dei molti canti che ritmavano il lavoro ai cavi, alle vele, all'argano. La meccanizzazione della pesca ha fatto uscire dall'uso i canti destinati a segnare il tiro delle reti e uguale destino hanno avuto quasi tutti gli altri canti ritmici legati a fatiche manuali oggi sostituite dal lavoro della macchina. Il martello pneumatico ha preso il posto del martello dello sterratore, il maglio e la colata di cemento armato hanno fatto scomparire il maglio a mano dei battipali, la trebbiatrice a vapore e poi Diesel ha eliminato il bastone e il cavallo bendato, la motosega ha reso inutile l'ascia del taglialegna e così via, lungo l'intero arco, o quasi, della fatica manuale. Non essendovi più né l'occasione, né la necessità, il canto ritmico di lavoro è pressoché estinto in Europa, con l'eccezione di poche aree arretrate dove sopravvivono tecniche di lavoro arcaiche.

87. RITMO DEI BATTIPALI
canto ritmico di lavoro
Venezia (Veneto)

Usato, fino a pochi anni fa, dai "battipali" della laguna veneta. I "battipali" erano operai specializzati nell'infiggere sul fondo della laguna, in acqua, i pali su cui poi appoggiare le costruzioni. Oggi si fabbrica quasi sempre con palafitte in cemento armato. Il canto serviva a ritmare l'alzata e la caduta del maglio, operato a mano.

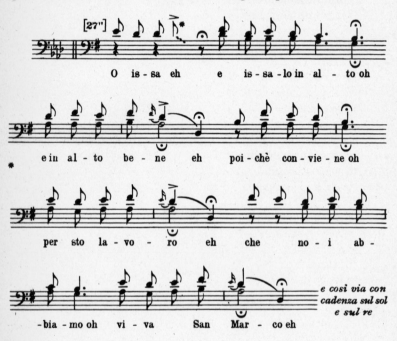

* Le prime quattro note più gridate che cantate.

O issa eh
e issélo in alto oh
e in alto bene eh
poichè conviene oh
per 'sto lavoro eh

che noi l'abbiamo oh
ma incominciato eh
ma se Dio vuole oh
lo feniremo eh
ma col santo aiuto oh
viva San Marco eh
repubblicano oh
quello che tiene eh
l'arma alla mano oh
ma per distrúggere eh
el turco cane oh
fede di Cristo eh
la śé cristiana oh
quela dei turchi eh
la śé pagana oh
e spiegaremo eh
bandiera rossa oh
bandiera rossa eh
e segno di sangue oh
e spiegaremo eh
bandiera bianca oh
bandiera bianca eh
e segno di paśe oh
e spiegaremo eh
bandiera nera oh
bandiera nera eh
e segno di morte oh

Bibliografia

E. Schulze Adaiewski, *La chanson des batipali à Venise*, in "Rivista Musicale
    Italiana", a. XVI, fasc. 1, 1909   [m]
A. Cornoldi, *Ande, bali e cante del Veneto*, Padova 1968   [m]

Discografia

* (Orig)   *Northern & Central Italy* (CWLFPM, vol. XV)
COL (USA) KL 5173
* (Rev)   *Almanacco Popolare / Canti popolari italiani*
ALBATROS VPA 8089
(Orig)   *Le stagioni degli anni '70*   DDS DS 511/13

88. RITMO DELL'ARGANO
canto ritmico di lavoro
Pellestrina, Venezia (Veneto)

Usato un tempo per coordinare il lavoro all'argano, per le manovre
dei velieri, a terra e a bordo.

O —— is-sa   la — ler - za   vol-ta e gi - ra che l'è

un bel sac-co   o is-sa   la   ler-za volta e gi-ra ler - za.

O issa la lerza [1]
volta e gira che l'è un bel sacco
o issa la lerza
volta e gira lerza

Discografia

* (Rev) *Almanacco Popolare / Canti popolari italiani*
ALBATROS VPA 8089
* (Rev) *Addio Venezia addio* (Canzoniere popolare veneto)
DDS DS 173/75

89. RITMO PER ISSARE LE VELE

Le manovre ai cavi, all'argano e alle vele erano ritmate, prima del-
l'avvento del vapore e delle macchine, da canti il cui scopo era quello di accordare lo sforzo dei marinai che dovevano compiere assieme

---

[1] *argano*

una serie di movimenti. La ragione per cui è soprattutto nella tradizione inglese e americana che sono numerosi questi canti ritmici di mare (che si chiamano *sea shanties*) è nel fatto che essi sono specialmente legati allo sviluppo delle grandi navi della seconda metà del XVIII secolo e dei grandi clippers oceanici del secolo scorso. Questi clippers, veri transatlantici a vela, con quattro, cinque e sei alberi, richiedevano un gran numero di marinai alle manovre e quindi erano più che mai necessari, per le manovre di bordo, i canti ritmici destinati ad accordare lo sforzo. In Italia, in quel periodo, la marineria non conosce un eguale sviluppo, essendosi trasferita fuori del Mediterraneo (come conseguenza della scoperta dell'America) la grande attività navale.

Estremamente interessanti sono quindi i canti ritmici per la manovra alle vele che raccolse in Sicilia Alberto Favara, nel secolo scorso. Sono canti che i marinai siciliani impararono e usarono a bordo di navi inglesi nel Mediterraneo. Queste navi, che incrociarono a lungo nei mari siciliani e napoletani per ragioni politiche, arruolavano infatti anche marinai siciliani. I canti sono in un singolare linguaggio anglo-siciliano, in massima parte incomprensibile.

vit - to - ri - a   vit - to - ri - a   scia - vi - ra - vi - rà   bom - bò.

[da A. Favara]

Bibliografia

A. Favara, *Corpus di musiche pop. siciliane*, vol. 2, Palermo 1957   [m]

Per un'informazione generale sui canti di mare, ritmici e no:
G. Nataletti, "I canti delle comunità marinare", in *Canti delle tradizioni marinare*, Roma, Edindustria, 1968 (f.c.)

Per gli shanties anglosassoni:
S. Hugill, *Shanties & Sailors' Songs*, London 1969 (con ampia bibliografia)
J. C. Colcord, *Songs of American Sailormen*, New York 1938 (n. ed., New York 1964)

Discografia

Per gli *shanties* anglosassoni:
(Rev) *Blow Boys Blow* (Ewan MacColl e A. L. Lloyd)
TRADITION XTRA 1052
(Rev) *Angleterre: Chants de travail* (Ewan MacColl e A. L. Lloyd)
CHRANT DU MONDE LDY 4.155/6/7 (17)

Per alcuni canti ritmici di mare italiani si veda il disco allegato alla pubblicazione di G. Nataletti, cit. in Bibl.

90. RITMO DELLA TONNARA
canto di lavoro
Sicilia

Dei canti ritmici che accompagnano e coordinano le varie fasi del lavoro della tonnara diamo un testo, raccolto da Antonio Favara, tra la fine dell'800 e il principio del '900. Ancora oggi, però, la mattanza è ritmata dal canto.

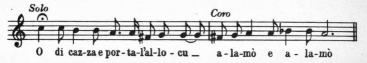

Solo   *Coro*

O   di caz-za e por-ta-l'al-lo - cu _   a - la-mò   e   a - la-mò

meg-ghiu lu pi-ru ca lu var-co-cu _ a-la-mò e a-la-mò

ah - i caz-za ed ar - ri-pig-ghia _ a-la-mò e a-la-mò

pri - ma la mam-ma e po' la fig-ghia _ a-la-mò e a-la-mò

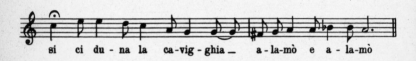

si ci du - na la ca-vig-ghia _ a-la-mò e a-la-mò

e fir-riu va-ned-da e cur-tig-ghia _ a-la-mò e a-la-mò

[da A. Favara]

O di cazza e portal 'allocu
    alamò e alamò
megghiu lu piru ca lu varcocu
ai li cazza e arripigglia
prima la mamma e po' la figghia
si ci duna la cavigghia
e firìu vanedda e curtigghia
dda va trovu a donna Pidda
ah ca lu fazzu pi idda
ci su' li muschi di Scupeddu
ca si tiranu lu vasceddu
ch' acchianamu nni lu patruni
né assittamu nni 'u saluni

ch'aspittamu a lu patruni
ca nni duna li beddi dinari
ci li purtamu a li nostri mugghieri
è finuta la tunnara
ci li purtamu a Santa Chiara
e alamò, fimmini beddi
e lu figghiu di Maria
e purtamulu a l'agnuni

Bibliografia

A. Favara, *Corpus di musiche popolari siciliane*, Milano-Palermo 1957

Discografia

(Orig) *Southern Italy & the Islands* (CWLFPM, vol. XVI)
COLUMBIA (USA) KL 5174
(Orig) Disco allegato alla pubblicazione: *Canti delle tradizioni marinare*, Roma, Edindustria, 1968

91. RITMO DEI SALINARI
Trapani (Sicilia)

È questo il canto ritmico usato per la conta dei sacchi di sale al momento del carico sui carri (ora sui camion) nelle saline di Trapani. La numerazione arriva fino al numero ventiquattro.

O - hè! ca-la i sa-li ar-re-ra o - ra toc-ca a lu

re cu pri-ma-ve-ra o-hè sa-li u-ni e du-i o - hè

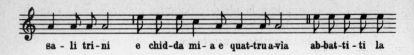

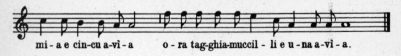

[da A. Favara]

O-hé! Cala i sali arrera!
Ora tocca a lu re cu primavera
O-hè! Sali uni e dui!
O-hè! Sali trini!
E chidda mia e quattru avìa!
Abbattiti la mia e cincu avìa!
Ora tagghiamuccilli e una avìa!

Bibliografia

A. Favara, *Corpus di musiche pop. siciliane*, vol. 2, Palermo 1957   [m]

Discografia

(Orig)   *Southern Italy and the Islands* (CWLFPM, vol. XVI)
COL (USA) KL 5174

92.   GLI SCARIOLANTI
canto di lavoro
Romagna

Questo canto è giustamente notissimo e non soltanto in Romagna.
È direttamente legato a quelle opere di bonifica che soprattutto a
partire dal 1880 [1] in mezzo secolo trasformano profondamente il pae-

[1] Le bonifiche nelle zone costiere del Ferrarese e della Romagna cominciano già al-
l'inizio dell'Ottocento, ma è con il 1880 che il processo assume un ritmo più rapido,
con conseguenze profonde. Cfr. E. Sereni, *Il capitalismo nelle campagne*, Torino 1947.

saggio agricolo e quindi la realtà economica e sociale della zona costiera della Romagna e della provincia di Ferrara (Emilia). Gli scariolanti erano braccianti che prestavano la loro opera nei lavori di bonifica.

Per comprendere esattamente il senso della canzone va ricordato che l'arruolamento degli scariolanti avveniva settimanalmente. I "caporali" suonavano un corno alla mezzanotte di domenica ed era il segnale, per chi voleva avere il lavoro, di mettersi in cammino verso gli argini, dove avveniva l'arruolamento. Ciascuno doveva portarsi la sua carriola (di qui il nome di scariolanti) e chi arrivava fra i primi aveva il lavoro. Quando le squadre erano complete, i "caporali" rimandavano indietro i ritardatari. Che restavano senza lavoro per una settimana.

che van-no a la - vo - rar._____

A meźźanotte in punto
si sente un gran rumor
sono gli scariolanti
        lerì lerà
che vengono al lavor

    Volta e rivolta
    e torna a rivoltar
    noi siam gli scariolanti
            lerì lerà
    che vanno a lavorar

A meźźanotte in punto
si sente tromba suonar
sono gli scariolanti
        lerì lerà
che vanno a lavorar

    Volta e rivolta, ecc.

Gli scariolanti belli
son tutti ingannator
che i à ingané la bionda
        lerì lerà
per un bacin d'amor

    Volta e rivolta, ecc.

Bibliografia

F. B. Pratella,*Etnofonia di Romagna*, Udine 1938 [m]
"Il Nuovo Canzoniere Italiano", n. 2, gennaio 1963 [m]

Discografia

* (Orig)   *Canti del lavoro*, 1
DDS DS 4 (17)
* (Orig/Rev)   *Le canzoni di "Bella ciao"* (canta il Gruppo Padano di Piadena)
DDS DS 101/3

93. LA PARTENZA DEI PASTORI
Scanno, L'Aquila (Abruzzo)

Sequenza di stornelli che, ancor oggi vengono cantati al momento in cui i pastori di Scanno lasciano la zona del paese per scendere, con il sopravvenire dell'inverno, verso la pianura pugliese. Sono cantati sia a voce sola che con accompagnamento di chitarra e violino. Questa "partenza" ha a Scanno significato di canto specificatamente locale (anche se i testi degli stornelli ricorrono in vastissima area meridionale) e viene eseguita anche in occasione di feste. Si è però sottratta alla folkloristizzazione che invece ha toccato, più o meno profondamente, altre manifestazioni tradizionali del paese.

La ne-ve à ri-cu-per-te li mun-ta-gne _____ la

Pu-glia mi ri-chi-a-ma e tu_ non_ vie____ ne____

La neve à ricuperte li muntagne
la Puglia mi richiama e tu non viène

Domani io me ne parte e voi restate
per compagnia il tuo cuor mi porto

Quanno so' arrivato a quelle porte
leggo il tuo bel nome e mi conforte [1]

Mi porto caramaro [2] ma carte e penna
mi porto il tuo buon cuor e mi conforte

94. CANTI A LA BOARA

Raccogliamo sotto questo titolo un gruppo di canti romagnoli connessi a vari lavori agricoli, nell'uso variamente distinti, con nomi
differenti, a seconda della loro funzione ("a la boara" o "a la bioiga"
sono i canti del bovaro che guida i buoi; "a la gramadora" quelli
delle gremolatrici della canapa; "a la rastladora" delle rastellatrici;
"a la sfuiadora" delle sfogliatrici di gelso per i bachi; ecc.). "Zaparesse" sono invece, nel Ferrarese, i canti del lavoro alla zappa. Tutti
hanno struttura su versi endecasillabi (4, 6, 8, con varie ripetizioni)

[1] *conforto*
[2] *calamaio*

e in realtà non sono fra loro oggettivamente distinguibili se non nel modo d'esecuzione, condizionato dalle condizioni di lavoro.

I canti "a la bioiga" erano cantati a due, cioè aperto dal boaro che guida l'aratro e chiuso dalla ragazza che guida i buoi (la "zarladora" o "bunëla"). Anche se non si hanno prove è possibile immaginare che l'esecuzione prevedesse una sovrapposizione, al modo dei canti "a vatoccu" (vedi canto n. 55).

A
Ranchio di Romagna, Forlì (Emilia-Romagna)

O canta la sighéla 'n te rastèle
o canta la sighéla 'n te rastèle
o canta la sighéla 'n te rastèle
avanti segador c'un conta quèle

O canta la sighéla 'n te la fèra

avanti rastlador c'un conta quale

La Neferina la tàia la tàia
la tàia 'l grèn la lasa lè la pàia
la Neferina la non vol taiare
mi voio meter l'ale per far volare

O rondinella che ven da Ravenna
o rondinella che ven da Ravenna
o rondinella che ven da Ravenna
se mi vuoi ben d'amor vai tor 'na penna

O rondinella che passé per mare
o rondinella che passé per mare
o rondinella che passé per mare
se mi vuoi ben d'amor mi far volare

Traduzione

O canta la cicala sul rastrello / avanti falciatori che non conta niente
O canta la cicala sulla falce / avanti rastrellatori che non conta niente
La Neferina taglia taglia / taglia il grano e lascia là la paglia / la Neferina
non vuole tagliare / mi voglio metter l'ali per volare
O rondinella che vieni da Ravenna / se mi vuoi bene d'amore voglio prendere
una penna
O rondinella che passi per mare / se mi vuoi bene d'amore fammi volare

B
Lugo, Ravenna (Emilia-Romagna)

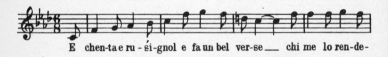

E chen-ta e ru-sí-gnol e fa un bel ver-se ___ chi me lo ren-de-

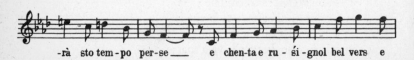

-rà sto tem-po per-se ___ e chen-ta e ru-sí-gnol bel vers   e

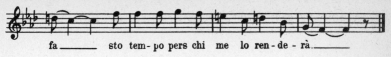

fa____ sto tem-po pers chi me lo ren-de-rà.____

[da F. B. Pratella]

E chènta e ruśignol e fa un bel verse
chi me lo renderà sto tempo perse
e chenta e ruśignol bel verse e fa
sto tempo pers chi me lo renderà

Traduzione

Canta l'usignolo fa un bel verso / chi me lo renderà sto tempo perso / canta
l'usignolo bel verso fa / sto tempo perso chi me lo renderà

C

Lugo, Ravenna (Emilia-Romagna)

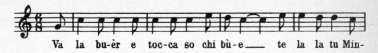

Va la bu-èr e toc-ca so chi bù-e____ te la la tu Min-

-ghet-ta sta la vù-e____ va la bu-èr e toc-ca so cal

va-che____ te la la tu Min-ghet-ta c'la va a spas-se.____

[da F. B. Pratella]

Va la buèr e tocca so chi bùe
te la la tu Minghetta 's ta la vùe
va la buèr e tocca so cal vache
te la la tu Minghetta c'la va a spasse

Traduzione

Va là bovaro pungola quei buoi / eccola là la tua Menichetta se la vuoi / va là boaro pungola quelle vacche / eccola là la tua Minghetta che va a spasso

D
Galeata, Forlì (Emilia-Romagna)

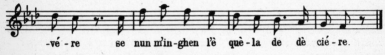

[da A. F. Fantucci]

U s'è livé la stèla buvarèna
se nun m'inghèn l'è quèla dla matèna
u s'è livé la stèla de buvére
se nun m'inghen l'è quèla de dè ciére

Traduzione

S'è levata la stella bovarina / se non m'inganno è quella della mattina / s'è levata la stella del bòvaro / se non m'inganno è quella del giorno chiaro

E
(zaparesse)
Polesine, Rovigo (Veneto)

che l'o - cio del pa - ròn   l'è qua che'l vie - ne.

[da A. Cornoldi]

Żapa la cavedagna e żapa béne
che l'ocio del paròn l'è qua che 'l viene

Żapa la cavedagna e żapa pure
che l'ocio del paròn l'è qua che 'l córe

Żapa el solchéte o po' la cavedagna
gh'è l'ocio del paròn che 'l vien in campagna

Traduzione

Zappa la capitagna [1] e zappa bene / che l'occhio del padrone è qui che viene
Zappa la capitagna e zappa pure / che l'occhio del padrone è qui che corre
Zappa il solchetto e poi la capitagna / c'è l'occhio del padrone che viene in campagna

Bibliografia

B. Pergoli, *Saggio di canti pop. romagnoli*, Forlì 1894
A. F. Fantucci, *Canti a la stesa della Romagna*, in "Il Folklore Italiano", a. III, fasc. 3/4, luglio-dicembre 1928 [m]
F. B. Pratella, *Etnofonia di Romagna*, Udine 1938 [m]
A. Cornoldi, *Ande, bali e cante del Veneto*, Padova 1968 [m]

Discografia

* (Orig) *Northern & Central Italy* (CWLFPM, vol. XV) (A)
COL (USA) KL 5173
(Rev) *Canti del lavoro*, 5 (canta il Gruppo Padano di Piadena) (E)
DDS DS 50 (17)

[1] Quella parte marginale del campo che serve per far girare l'aratro e gli altri strumenti di lavoro.

95. CANTI DI CARRETTIERE
Bagheria, Palermo (Sicilia)

Nell'uso dei carrettieri che un tempo, fino a una quindicina d'anni fa, compivano trasporti anche lunghi attraverso la Sicilia v'erano canzoni d'ogni argomento, per lo più nella forma della *canzuna* (su sei endecasillabi, più raramente su otto).[1] Abbiamo scelto però due canti su tre e due versi per il loro più esplicito riferimento al mestiere di carrettiere.

Il primo è citato anche dal Favara, come secondo distico di una sequenza da carrettiere, raccolta a Lercara Friddi. Il testo è il seguente:

> Ora nun fazzu chiù lu carritteri
> e ca lu cavaddu nun voli arrivari
>
> 'Nta la muntata di Mussulumeli
> si sdillassau la cinca e pitturali
>
> Si Diu voli e la mula camina
> ci haiu a ghiri a la fera a la Diana

-----
[1] Si veda il canto n. 51 in questa stessa raccolta.

-an - za pit - tu - ra - li.   E si   rum - pi

sut - ta - pan — — za pit - tu - ra — li.

A A l'acchianata di Musulumèni
  si rumpi suttapanza e pitturali
  si rumpi suttapanza e pitturali

E co - mu t'ar - ri - du - ci - sti ca — — a -

-vad - du di Sciac - ca ar es — si - ri priz - ziu-

-lia — — a - tu ri — i la

cio — — — — — — oc - ca.

B E comu t'arriducisti cavaddu di Sciacca [1]
  ar essiri prizziuliatu ri la ciocca

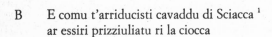

[1] I cavalli di Sciacca erano ritenuti tra i migliori e più forti dai carrettieri.

Traduzione

A

Alla salita di Musulumeni / si rompe sottopancia e pettorale

B

E come ti riducesti cavallo di Sciacca / ad essere becchettato dalla chioccia

Bibliografia

A. Favara, *Corpus di musiche pop. siciliane*, Palermo 1957

Discografia

Per l'ascolto di altri canti di carrettiere siciliani:
(Orig)   *Southern Italy & The Islands* (CWLFPM, vol. XVI)
COL (USA) KL 5174
(Orig)   *Canti popolari siciliani*
ANGELICUM BIM 24
(Orig)   *Italia*, vol. 3
ALBATROS VPA 8126
(Orig)   *Le stagioni degli Anni '70*
DDS DS 508/10

96. O MAMMA MIA TEGNÌM A CÀ
canto di filanda
Cassago, Como (Lombardia)

Una delle più intense fra le canzoni delle operaie lombarde di filanda
in cui vi è esplicito riferimento al lavoro e alla sua durezza.

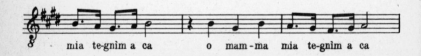

che mi 'n fi -lan-da mi 'n fi - lan-da mi vöi pü 'na.

O mamma mia tegnìm a cà
o mamma mia tegnìm a cà
o mamma mia tegnìm a cà
che mi 'n filanda
mi 'n filanda mi vöi pü 'nà

Me dör i pé me dör i man
me dör i pé me dör i man
me dör i pé me dör i man
e la filanda
e la filanda l'è di vilàn

L'è di vilàn per laurà
l'è di vilàn per laurà
l'è di vilàn per laurà
e mi 'n filanda
mi 'n filanda mi vöi pü 'nà

Gh'è giò 'l sentòn ferma 'l rudón [1]
gh'è giò 'l sentòn ferma 'l rudón
gh'è giò 'l sentòn ferma 'l rudón
e la filanda
la filanda l'è la preśón

L'è la preśón di preśoné
l'è la preśón di preśoné
l'è la preśón di preśoné
e mi 'n filanda
mi 'n filanda son stüfa asé

[1] Si riferisce alla cinghia di trasmissione che metteva in moto una grande ruota e fateva poi girare le aspe.

Traduzione

O mamma mia tenetemi a casa / che io in filanda / non voglio più andare
Mi dolgono i piedi mi dolgono le mani / e la filanda / è dei villani (contadini)
È dei villani per lavorare / e io in filanda / non voglio più andare
C'è giù la cinghia ferma il ruotone / e la filanda / è la prigione
È la prigione dei prigionieri / e io della filanda / sono stufa abbastanza

Discografia

* (Orig) *I canti di lavoro*, 4
Dds Ds 37 (17)

Per altri canti di filanda lombardi:
(Orig) *I canti del lavoro*, 2
Dds Ds 10 (17)
(Orig) *I canti del lavoro*, 3
Dds Ds 29 (17)
(Orig) *I canti del lavoro*, 5
Dds Ds 50 (17)

97. I CIAVATÌN E I MÜRADÙR
canto di risaia
Loranzé, Torino (Piemonte)

La grande maggioranza delle canzoni connesse con il lavoro di risaia sono canzoni femminili perché soprattutto da donne erano formate in epoca recente i gruppi ingaggiati per la monda e il trapianto. Pochi erano gli uomini e per lo più incaricati di compiti di caposquadra e di sorvegliante. Un tempo, però, numerosi erano anche gli uomini che andavano stagionalmente a lavorare sul riso. Questa canzone è appunto una canzone maschile, una canzone di mondini canavesani ed esprime il risentimento per il fatto che anche ciabattini e muratori si fossero messi a fare i mondini, senza averne la capacità e portando così via il lavoro agli altri. C'è anche una protesta contro il più massiccio impiego delle donne, a scapito degli uomini (pagati un poco di più). La canzone, quindi, può collocarsi nel periodo in cui alla manodopera anche maschile si viene sostituendo, in risaia, una manodopera quasi esclusivamente femminile. Le mondine più anziane, interrogate su questo fatto, dicono che gli uomini furono allontanati dalle risaie avanti la prima guerra mondiale. Dicono anche che ciò avvenne perché con gli uomini, che possedevano l'orologio, non era possibile "rubare le ore" (dall'orario "da sole a sole" regolato da un caposquadra che annunciava l'inizio e la fine del lavoro osservando il sole da una cima di pioppo, in modo da vederlo sorgere un po' prima e tramontare un po' dopo, si era passati alla giornata di otto ore).

I ciavatìn e i müradur
a l'àn truvase 'l canal Cavur
savìu pi nèn che cośa fé
a l'àn bütase co lur a mundé

Mundavu a la moda dal so paiś
lasavu l'erba e s-ciancavu 'l riś
alé alé 'nduma a balé
l'uma la Merica 'nans a daré

E viàute fíe si völe carafé
a la casinha l'eve mach d'andé
i munte d'zura al primo pian
e la carafa l'è finha duman

Cui 'd Carpanet sun di asasìn
a ròbun le ure a sti povri mundin
cun la camiśola bianca 'l cutìn astirà
matin e sèira l'è sempre mundà

Traduzione

I ciabattini e i muratori / si sono trovati al canale Cavour / non sapevano più che cosa fare / si sono messi anche loro a mondare
Mondavano al modo del loro paese / lasciavano l'erba e strappavano il riso / alé alé andiamo a ballare / abbiamo l'America davanti e didietro
E voialtre figlie se volete caraffare [1] / non avete che d'andare in cascina / salite sopra al primo piano / e la caraffa è fino a domani
Quelli (quelle?) di Carpenete sono assassini / rubano le ore a questi poveri mondini / con la camiciola bianca e la sottana stirata / mattino e sera è sempre mondato

Discografia

* (Orig) *Canavese*
ALBATROS VPA 8146

98. SENTI LE RANE CHE CANTANO
canto di risaia
Ripalta Nuova, Cremona (Lombardia)

La più conosciuta delle canzoni delle mondariso della Pianura padana.

[1] I cantori di Loranzé interrogati su questa parola hanno detto che si tratta di un "nonsense" di significato erotico.

-sa - ia   tor - na - re al mio   pa - e - se._____

Senti le rane che càntano
che gusto che piacere
lasciare la riśàia
tornare al mio paése
lasciare la riśàia
tornare al mio paése

Amore mio non piangere
se me ne vado via
io làsio la riśàia
ritorno a caśa mia   } 2

Non sarà più la capa
che śveglia a la mattina
ma là nella caśetta
mi śveglia la mammina   } 2

Vedo laggiù tra gli alberi
la bianca mia caśetta
e vedo là in sull'usio
la mamma che m'aspeta   } 2

Mamma papà non piangere
non sono più mondina
son ritornata a caśa
fare la contadina   } 2

Mamma papà non piangere
se sono consumata
è stata la riśàia
che mi à rovinata   } 2

Bibliografia

E. Tron, "Canti di mondariso della Pianura Padana", in *Il mondo agrario tradizionale nella Valle Padana*, Modena 1963   [m]

R. Leydi, *Le trasformazioni socio-economiche e la cultura tradizionale in Lombardia*, Milano 1972   [m]

Discografia

* (Orig)   Disco allegato alla pubblicazione di R. Leydi, cit. in Bibl.
* (Orig/Rev)   *I canti del lavoro*, 2 (canta Giovanna Daffini)
DDS DS 10 (17)
* (Orig/Rev)   *Le canzoni di "Bella ciao"* (canta Giovanna Daffini)
DDS DS 101/3
(Orig/Rev)   *Canzoni della pianura padana* (canta il Duo di Piadena)
TANK MTG 8002

Per altri canti di risaia:
(Orig)   *I canti del lavoro*, 1
DDS DS 4 (17)
(Orig)   *I canti del lavoro*, 3
DDS DS 29 (17)
(Orig/Rev)   *Una voce, un paese* (canta Giovanna Daffini)
DDS DS 146/48 CL
(Orig)   *E la partenza per me la s'avvicina*
DDS DS 514/16

99. CARA MAMMA VIENIMI INCONTRA

canto di risaia
Vercellese (Piemonte)

O ca-ra mam-ma vie-ni-mi in-

-con-tra che ò tan-te co-še da rac-con-

-ta - re   che nel par - la - re mi fan tre-

-ma - re   la brut-ta   vi - ta che ò pas - sà.

O cara mamma vienimi incontra
che ò tante cośe da raccontare
che nel parlare mi fan tremare
la brutta vita che ò passà

La brutta vita che ò passato
là sul trapianto e nella monda
la mia bella faccia rotonda
come prima non la vedrai più

Alla mattina quei moscerini
che ci succhiavano tutto quel sangue
e a meźźogiorno quel brutto sole
che ci faceva abbrustolir

A meźźogiorno fagioli e riśo
e alla sera riśo e fagioli
e quel pane non naturale
che l'appetito ci fa mancar

E alle nove la ritirata
e alle dieci c'è l'ispezione
l'ispezione del padrone
tutte in branda a ripośar

Discografia

* (Orig) *Canti di protesta del popolo italiano*, 3
IC SP/33/R/0017 (17)

100. SCIUR PADRUN DA LI BELI BRAGHI BIANCHI

canto di risaia
Gualtieri, Reggio Emilia (Emilia-Romagna)

Cesare Bermani [1] ha raccolto dalla voce di Giovanna Daffini questa spiegazione del canto:

Questa canzone si incominciava a cantarla a metà campagna, a metà monda, ecco; perché il contratto della monda è sempre stato di trenta o quaranta giorni. Noi, dai venti giorni in poi, continuamente si cantava *Sciur padrun da li béli braghi bianchi* perché eravamo stanchi di monda, che si vedeva le [nostre] case anche non so distante quanti chilometri. Perciò anche *Amore mio non piangere* [*Senti le rane che cantano*] era sempre all'ordine del giorno.

Anche questo canto di risaia appartiene a un vasto e ricco filone di strofette, più o meno protestatarie, del repertorio di monda. Giovana Daffini ha imparato le strofe di questo canto nel Novarese e nel Vercellese. Come il canto seguente, e molti altri del repertorio di risaia, *Sciur padrun da li béli braghi bianchi* ha relazione con canzoni militari (la quarta e la quinta strofa soprattutto).

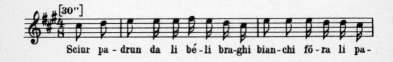

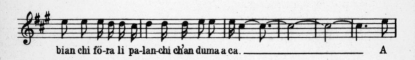

[1] C. Bermani, *Il repertorio civile di Giovanna Daffini*, in "Il Nuovo Canzoniere Italiano", n. 5, Milano, febbraio 1965.

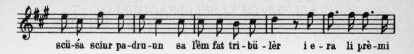

scü-śa sciur pa-dru-un   sa l'èm fat tri-bü-lèr   i e-ra   li prè-mi

vol-ti i e-ra   li prè-mi vol-ti   a scü-śa sciur pa-dru-un sa l'èm fat tri-bü-

-lèr   i e-ra   li prè-mi vol-ti ca'n sa-ié-vum cu-ma fèr.

Sciur padrun da li béli braghi bianchi
föra li palanchi föra li palanchi
sciùr padrun da li béli braghi bianchi
föra li palanchi c'anduma a cà

A scüśa sciur padrun
sa l'èm fat tribülèr
i era li prèmi volti
i era li prèmi volti
a scüśa sciur padrun
sa l'èm fat tribülèr
i era li prèmi volti
ca 'n saiévum cuma a fèr [1]

Sciur padrun, ecc.

Prèma al rancàun
e po' dopu a s-ciancàun
e adés ca l'èm tot via
al salütèm e po' andèm via [2]

---

[1] Le strofe seguenti hanno la stessa struttura di questa prima.
[2] Si fa riferimento qui al giaveno (dialettalmente "pabi") che è un'erba molto dura

Sciur padrun, ecc.

Al nostar sciur padrun
l'è bon come 'l bon pan
da stèr insëma a l'èrśën
al diś – Fé andèr cal man –

Sciur padrun, ecc.

E non va più a meśi
e nemmeno a settimane
la va a pochi giorni
e poi dopo andiamo a cà

Sciur padrun, ecc.

E non va più a meśi
e nemmeno a settimane
la va a poche ore
e poi dopo andiamo a cà

Sciur padrun, ecc.

Incö l'è l'ultim giürën
e admàn l'è la partenza
farem la riverenza
al noster sciur padrun

Sciur padrun, ecc.

E quando al treno a s-cëffla
i mundèin a la stassiòn

---

da strappare durante la monda. Spesso per imperizia, negligenza o protesta le mondine anziché estirpare completamente la radice strappavano, del giaveno, soltanto la
parte emergente dal terreno. Ancora Giovanna Daffini dà una singolare spiegazione
a questo proposito: « Se si voleva fare le cose per bene si rancava sempre, si toglieva
sempre dalla radice; mentre invece poi si diventava esperti e dalla paura di rimanere
forse senza lavoro per l'anno dopo, noi si prendeva via, si tagliava insomma, si la-
sciava la radice, di modo che ne avevi per l'anno successivo, del lavoro ».

con la cassiètta in spala
sü e giù per i vagon

   Sciur padrun, ecc.

Quando saremo a caśa
dai nostri fidanzati
ci daremo tanti baci
tanti baci in quantità

   Sciur padrun, ecc.

Traduzione

Signor padrone dai bei pantaloni bianchi / fuori i soldi fuori i soldi / fuori i soldi che andiamo a casa
Ci scusi signor padrone / se l'abbiamo fatto tribolare / erano le prime volte / e non sapevamo come fare
Prima lo sradicavamo / poi lo strappavamo / e adesso che lo abbiamo tolto / la salutiamo e ce ne andiamo via
Il nostro signor padrone / è buono com'è il buon pane / da sopra l'argine dove sta / dice – Fate andare quelle mani –
(la quarta e la quinta strofa sono in italiano)
Oggi è l'ultimo giorno / e domani è la partenza / faremo la riverenza / al nostro signor padrone
E quando il treno fischia / le mondine alla stazione / con la cassetta in spalla / su e giù per i vagoni
(l'ottava strofa è in italiano)

Bibliografia

C. Bermani, *Il repertorio civile di Giovanna Daffini* e R. L. e G. M. *Osservazioni preliminari sui caratteri musicali del repertorio di Giovanna Daffini*, in "Il Nuovo Canzoniere Italiano", n. 5, Milano, febbraio 1965 [m]

Discografia

* (Orig/Rev) *I canti del lavoro*, 3 (canta Giovanna Daffini)
DDS DS 29 (17)
* (Orig/Rev) *Le canzoni di "Bella ciao"* (canta Giovanna Daffini e coro)
DDS DS 101/3

---

[1] *Sciur padrun da li béli braghi bianchi* è stata utilizzata come canzone folk-pop e ha avuto un certo ambiguo successo. Chi volesse cogliere nella più diretta e concreta

101. STROFE DELLA VITA IN RISAIA

Questo gruppo di canti di risaia è riferito a specifici momenti della vita delle mondine.

Il primo canto era usato come commiato, la sera, prima di ritirarsi nelle camerate. Deriva sicuramente da un commiato da osteria.

A
Mesero, Milano (Lombardia)

Bona sera i miei signori
questa l'è l'ora sì
questa l'è l'ora sì
buona sera i miei signori
questa l'è l'ora sì
d'andà a dormì

Il secondo era cantato l'ultimo giorno di lavoro, quando il capo andava a fare la "richiesta", cioè a richiedere i biglietti ferroviari per il viaggio di ritorno delle mondine.

evidenza i risultati di mistificazione e di svuotamento anche emotivo che le operazioni di questo genere raggiungono può ascoltarsi, a paragone con le esecuzioni quanto mai cariche di verità e di autenticità comunicativa di Giovanna Daffini, le registrazioni folk-pop di *Sciur padrun*. In primo luogo quella di Gigliola Cinquetti (CGD FGL 5086) e anche quella di Anna Identici (Ariston AR/LP 12052).

B
Castelbelforte, Mantova (Lombardia)

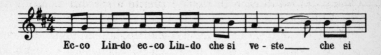

Ec-co Lin-do ec-co Lin-do che si ve - ste___ che si

ve - ste da la fe - sta e'l va fa - re la ri - chie-sta e'l va
la ri -

fa - re la ri - chie-sta   -chie-sta d'an-da-re a   cà

oi - là gh'è de va a cà   oi - là gh'è de va a cà   oi - là gh'è de va a cà

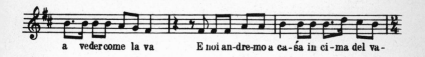

a ve-der come la va   E noi an-dre-mo a ca-sa in ci-ma del va-

-po - re   ev-vi-va l'a-mo-re   ev-vi-va l'a-mo-re   e noi an-dre-mo a

ca-sa in ci-ma del va - po - re   ev-vi-va l'a-mo-re e chi la sa far.

Ecco Lindo ecco Lindo che si veste
che si veste da la festa
el va a fare la richiesta
el va a fare la richiesta
ecco Lindo ecco Lindo che si veste
che si veste da la festa
che va a fare la richiesta
la richiesta d'andare a cà
    oilà gh'è de va a cà
    oilà gh'è de va a cà
    oilà gh'è de va a cà
    a veder come la va

E noi andremo a caśa
in cima del vapore
evviva l'amore
evviva l'amore
e noi andremo a caśa
in cima del vapore
evviva l'amore
chi la sa far

E chi sa far l'amore
sarà le mantovane
e le piamonteśe
e le piamonteśe
e chi sa far l'amore
sarà le mantovane
e le piamonteśe
no no e no

Questo era il canto di commiato, al momento della partenza, dopo
i quaranta giorni di lavoro in risaia.

C
Castelbelforte, Mantova (Lombardia)

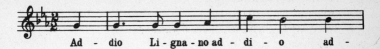

Ad - dio   Li - gna - no ad - di - o   ad -

-dio gio-va-not-ti   bel-li   per le stra-de e i pon-ti-cel-li

per le stra-de e i pon-ti-cel-li   e l'a-mor non si fa   più.

Addio Lignano addio
addio giovanotti belli
per le strade e i ponticelli
per le strade e i ponticelli
addio Lignano addio
addio giovanotti belli
per le strade e i ponticelli
l'amor non si fa più

Ti ò amato quaranta giorni
per passare una meźź'ora
e adès ch'è giunta l'ora
e adès ch'è giunta l'ora
ti ò amato quaranta giorni
per passare una meźź'ora
e adès ch'è giunta l'ora
io ti lascio e vado a cà

Tu credevi che io t'amassi
e invece t'ò ingannato
le caramelle m'ài pagato

le caramelle m'ài pagato

tu credevi che io t'amassi
e invece t'ò ingannato
le caramelle m'ài pagato
e il vino bianco che ò bevù

Infine la partenza e il ritorno alle case, con una canzone desunta
dal repertorio militare.

D

Castelbelforte, Mantova (Lombardia)

O macchinista getta carbone
quel macchinone fallo marciar

fallo marciare sempre più forte
Castelbelforte vogliamo andar

Castelbelforte siamo partiti
Castelbelforte vogliamo 'ndar
Castelbelforte siamo partiti
Castelbelforte vogliamo 'ndar

Quando saremo Castelbelforte
tutta la gente fòri a guardar
quando saremo Castelbelforte
tutta la gente fòri a guardar

Coś'è successo coś'è 'caduto
son le mondine che vegnu a cà
coś'è successo coś'è 'caduto
son le mondine che vegnu a cà

    Oilà siamo 'rivà
    oilà siamo 'rivà
    oilà siamo 'rivà
    a goder la libertà

Il ritorno a casa, e l'assalto dei creditori che aspettano l'arrivo delle mondine, con i pochi soldi guadagnati in risaia, per esigere i debiti delle famiglie.

E
Gualtieri, Reggio Emilia (Emilia-Romagna)

Quan-do ___ sa - re-mo a Reg-gio E-mi -lia _____

Quando saremo a Reggio Emilia
al mè murùś al sarà in piassa
bella mia sei arrivata
bella mia sei arrivata
quando saremo a Reggio Emilia
al mè murùś al sarà in piassa
bella mia sei arrivata
dimmi un po' come la va [1]

Di salute la mi va bene
le borsette quaśi vuote
e di cuor siam malcontente
d'aver tanto lavorà

Le strofe seguenti hanno la stessa struttura di questa prima.

Quando saremo a Reggio Emilia
i creditur i v'gnarà incuntra [1]
mundariś föra la bursa [2]
ca vuruma a ves pagà [3]

Bibliografia

C. Bermani, *Il repertorio civile di Giovanna Daffini*, in "Il Nuovo Canzoniere
    Italiano", n. 5, febbraio 1965   [m]
E. Tormene, "Racconti e canti di mondine lombarde", in: R. Leydi, *Le tra-
    sformazioni socio-economiche e la cultura tradizionale in Lombardia*, Milano
    1972

Discografia

* (Orig)   *La Mariuleina* (canta Giovanna Daffini)   [E]
Dds DS 32

[1] *i creditori si faranno incontro*
[2] *mondariso fuori la borsa*
[3] *che vogliamo essere pagati*

VIII
Canti sociali e politici

La categoria dei *canti sociali e politici*, intesa in un valore relativamente autonomo, è un'acquisizione recente della classificazione degli oggetti comunicativi orali.

Il materiale di carattere sociale e politico aveva già trovato anche in passato un suo riconoscimento ma sempre e soltanto in termini strettamente contenutistici. È di questi ultimi anni l'ipotesi che questo "repertorio" rappresenti il momento emergente e significante della comunicazione popolare nell'età capitalistica e che la sua configurazione, come la sua funzione, siano strettamente connesse con le modificazioni della realtà materiale introdotte dalla rivoluzione industriale. In altri termini il canto sociale e politico è visto oggi (anche se non unanimemente) come una delle manifestazioni proprie della cultura proletaria moderna.

Sviluppatosi in un'epoca di profonde trasformazioni e di continui rapporti, il canto sociale e politico costituisce anche il momento d'incontro della tradizione orale contadina (della quale mantiene in varia misura caratteri ed elementi) con la nuova cultura proletaria formatasi nel vivo delle lotte sociali. In questa prospettiva sarebbe errato pretendere di riconoscere nel canto sociale e politico dell'età moderna e contemporanea la stessa omogeneità e la stessa organicità che crediamo di vedere nel materiale della tradizione anteriore. Da questo punto di vista, anzi, il *canto sociale* si colloca, in gran parte, fuori degli interessi tradizionali e convenzionali della scienza del folklore. Nel repertorio proletario dell'età capitalistica confluiscono infatti contributi differenti, della più diversa provenienza, e gli elementi mutuati dalla cultura borghese sono spesso preponderanti (formalmente) su quelli della cultura propriamente popolare. Ciò che unifica materiali tanto differenti è la visione della realtà che si riflette negli oggetti comunicativi e da essi si esprime, visione che appartiene alla classe. Questa visione della realtà è anche il legame che unisce il canto sociale e politico moderno e contemporaneo a tutto il corpo della cultura del mondo popolare che è sempre e comunque, indipendentemente dai temi che affronta ed espone, di carattere "sociale" in quanto comunicazione strumentale che non può prescindere da una funzione diretta e concreta e non può esimersi dal riproporre, continuamente, e le condizioni oggettive della esistenza materiale e le contraddizioni di una società organizzata in classi.

Il canto sociale e politico, naturalmente, si presenta in forme differenti nei vari paesi europei ed è relativamente agevole scoprire che queste differenze sono in diretto rapporto con le diversità o gli sfasamenti dello sviluppo capitalistico nelle varie aree. Nei paesi dove la rivoluzione industriale si è verificata prima il canto sociale e politico ha assunto fin dall'inizio un carattere industriale e urbano e molto limitato è l'apporto del repertorio contadino. Là dove, invece, il capitalismo si è sviluppato con maggior ritardo e ha cercato il suo sbocco agendo sulla condizione agricola, i canti di tipo contadino costituiscono l'elemento portante del repertorio sociale.

È assai difficile (e sarebbe probabilmente un'operazione scorretta) fissare una precisa linea di demarcazione fra i *canti di lavoro* e i *canti sociali* in quanto i secondi affondano le loro radici nei primi e ne rappresentano in moltisimi casi la logica continuazione, a un diverso livello di consapevolezza. Meglio individuabile è invece il repertorio specificamente politico, nel quale emergono riferimenti espliciti e sul quale più accentuata è stata l'azione mediatrice dei dirigenti borghesi.

Gran parte del repertorio di filanda e di risaia, per esempio, ha tutti i caratteri del canto sociale e spesso si configura in termini specificamente politici. Anche i canti dell'emigrazione e della miseria contadina si pongono come collegamento fra i canti di lavoro e quelli che chiamiamo propriamente sociali. Nell'ambito di questi ultimi si collocano anche i canti contro la leva, il servizio militare e la guerra e così pure quelli di carcere. Lavoro, servizio militare e carcere sono i drammatici momenti in cui il mondo popolare giunge a contatto con la classe egemone e, soggiacendo, prende coscienza della contraddizione fondamentale dell'ordinamento in classi.

Più autonomo è invece il repertorio specificamente e dichiaratamente politico e anche il più lontano dai modelli tradizionali. Collegati alle grandi correnti politiche di carattere popolare che hanno agito in Italia (repubblicani, anarchici, socialisti, comunisti, in minor misura cattolici), i canti ne rispecchiano, spesso anche formalmente, i caratteri.

102. SON CIECO E MI VEDETE
canto politico
Alfonsine, Ravenna (Romagna)

Anche se segnalato in altre parti dell'Italia settentrionale (per esempio nel Cremonese), questo canto sembra aver avuto particolare diffusione in Romagna, almeno dal 1909/1910, secondo la testimonianza di Giovanni Grilli (v. Bibl.). Probabilmente deriva da un'antecedente canto, non politico ma riferito alla condizione di mendicità.

Son cie-co e mi ve-de-te de-vo chie-der la ca - ri - tà

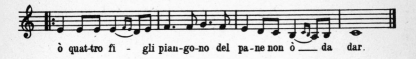

ò quat-tro fi - gli pian-go-no del pa-ne non ò ___ da dar.

Son cieco e mi vedete
devo chiedere la carità
ò quattro figli piangono
del pane non ò da dar
ò quattro figli piangono
del pane non ò da dar

Noi anderemo a Roma
davanti al papa e al re
non grideremo ai potenti   } 2
che la miśeria c'è

E per le vie di Roma
la bandiera vogliamo alzar
śventola la bandiera   } 2
il socialiśmo trionferà

Bibliografia

E. De Martino, *Il folklore progressivo emiliano*, in "Emilia", a. III, n. 21,
    settembre 1951
G. Grilli, *Dalla Settimana Rossa alla fondazione del P.C. d'I.*, in "Movimento
    Operaio", a. IV, n. 3, 1952
S. Liberovici, *Cantistoria d'Italia, 1900-1962*, in "Filmcritica", n. 129, 1963

Discografia

* (Rev) *Canti e inni socialisti*, 1 (canta Sandra Mantovani)
Dds DS 3 (17)
* (Rev) *Avanti popolo alla riscossa* (canta Sandra Mantovani)
Dds DS 158/60 CL

103. E PER LA STRADA
canto politico contadino
S. Benedetto Po, Mantova (Lombardia)

Questo canto è riferito ai grandi scioperi agrari del Parmense del
maggio-giugno 1908. Nel momento più duro della lotta una parte dei
figli degli scioperanti furono trasferiti in altre città, ospiti di famiglie di compagni, per sottrarli ai disagi e consentire ai genitori una
più serena resistenza. Di qui il senso della prima strofa.

Il testo che pubblichiamo è quello che si legge su un foglio volante
datato 1908, della tipografia Pennaroli di Fiorenzuola d'Arda. Il foglio è intitolato *La Voce di una madre*. Si tratta di un componimento
da cantastorie.

La melodia è desunta dall'esecuzione di Teodolinda Rebuzzi, ex-
mondina novantenne di San Benedetto Po, che ricordava assai bene
la canzone, anche se incompleta. Il testo della Rebuzzi (che appare
sotto la musica) è un po' differente e dialettizzato, rispetto a quello
a stampa.

E per la stra-da gri - da - va i scio - pe -

-ran-ti___ non più vo-gliam da voi re - star sfrut-ta - ti___

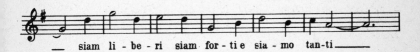

_ siam li - be - ri siam for - ti e sia - mo tan-ti___

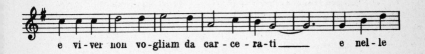

e vi - ver non vo-gliam da car - ce - ra-ti___ e nel - le

stal - le___ più non vo-gliam mo - rir___

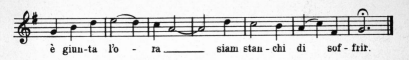

è giun-ta l'o - ra___ siam stan - chi di sof - frir.

Poveri figli miei abbandonati
con dolore vi debbo oggi lasciare
con fulgide speranze d'ideali
un dì contenta vi potrò riabbracciare
    si combattiamo per un fulgido avvenir
    pei nostri figli siam pronti anche a morir

Gridavan sulla strada gli scioperanti
non più vogliam da voi essere sfruttati

siam liberi siam forti e siamo tanti
e vivere non vogliam da carcerati
   nelle stalle più non vogliam morir
   è giunta l'ora siam stanchi di soffrir

Ma da lontano giungono i soldati
avanti tutti assieme coi padroni
e contro gl scioperanti diśarmati
s'avanzano śguainando gli squadroni
   essi non fuggon forti del loro ardir
   i figli del lavoro son pronti anche a morir

Eppur convien restare senza dolore
pronti a soffrir la fame e ogni tormento
bisogna far tacere pur anche il cuore
di madre il puro affetto e il sentimento
   sebbene oppressi e torturati ancor
   noi combattiamo sempre e combatteremo ognor

Presto il dì verrà che vittoriosi
saluteremo la redenzione nell'albeggiare
muti staran crumiri e pauróśi
vedendo l'idea nostra a trionfare
   cośì il lavoro redento alfin sarà
   e il sol del socialiśmo su noi risplenderà

Bibliografia

"Il Nuovo Canzoniere Italiano", n. 2, gennaio 1963   [m]

Discografia

* (Rev) *Canti e inni socialisti* (canta Sandra Mantovani)
Dds DS 3 (17)
* (Rev) *E per la strada* (canta Sandra Mantovani)
Dds DS 143/45 CL
* (Rev) *Avanti popolo alla riscossa* (canta Sandra Mantovani)
Dds DS 158/60 CL

104. BATTAN L'OTTO
canto politico
San Giovanni Valdarno, Arezzo (Toscana)

Questa canzone appare come il risultato del riunirsi e del modificarsi di strofe di varia origine specifica e di vari momenti della cronaca del movimento operaio.

Bat- tan l'ot - to   ma sa- ran-no___ le no - ve

i   miei fi - glio - li   ma son di-giu-ni an-co - ra   ma

vi - va i'___ co-rag - gio e ma chi lo sa   por-ta - re in-

Cadenza libera

-fa-me___ so-cie - tà   dac-ci man-gia - - re.

Battan l'otto ma saranno le nove
i miei figlioli ma son digiuni ancora
ma viva i' coraggio e ma chi lo sa portare
infame società dacci mangiare

Viva i' coraggio ma chi lo sa portare
l'anarchia la lo difenderebbe
ma viva i' coraggio ma chi lo sa portare
i miei figlioli àn fame chiedono pane

Anch'io da socialisto o mi voglio vestire

bello gli è il rosso rosse son le bandiere
ma verrà qui' ggiorno della rivoluzione
infame società dovrai pagare

Verrà qui' ggiorno che la dovrai pagare
verrà qui' ggiorno della rivoluzione
ma verrà qui' ggiorno della rossa bandiera
infame società dovrai pagare

Viva il coraggio ma chi lo sa portare
amo mia moglie e la famiglia mia
ma verrà qui' ggiorno della rivoluzione
infame società dacci mangiare

Dei socialisti è pieno le galere
bada governo infame maltrattore
ma verrà qui' ggiorno della rossa bandiera
infame società dovrai pagare

Discografia

* (Rev) *La veglia* (canta Caterina Bueno)
DDS DS 155/57 CL

105. GUARDA LÀ 'N CULA PIANÜRA
canto operaio
Perosa Canavese, Torino (Piemonte)

L'origine di questo canto, uno dei pochi veri canti operai italiani, è incerta. È però probabile che sia nato in Piemonte (anche se esiste con testo in italiano), o nel Biellese o in Valsesia, cioè in ambiente di manifattura laniera. Secondo Pietro Secchia risalirebbe alle lotte per l'orario di lavoro di dieci ore, in Valsesia, nel 1897. Secondo Sergio Liberovici, invece, autore del canto sarebbe il torinese A. Mazzuccato, nei primi anni del Novecento. Gli esecutori della lezione qui pubblicata lo dicono inerente alle lotte per l'orario di lavoro di otto ore al "fabbricone" vicino al loro paese, precisamente la tessitura Mazzonis, avanti la prima guerra mondiale.

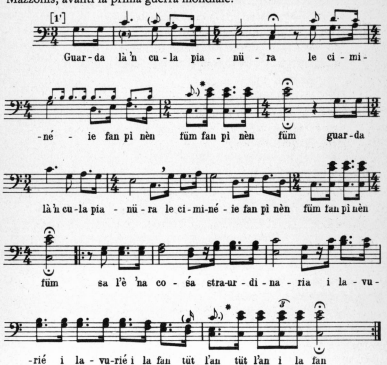

Le note tra parentesi delle battute 2/5 indicano la voce più alta nelle strofe seguenti alla prima.

Guarda là 'n cula pianüra
le ciminéie fan pì nèn füm
        fan pì nèn füm
sa l'è 'na cośa straurdinaria [1]

---

[1] È probabile, nei versi che seguono in questa prima strofa, la caduta del testo originario. È infatti chiaro il significato: le ciminiere della fabbrica, per lo sciopero, non mandano più fumo e questa è una cosa straordinaria (in contrapposizione alla

i lavurié i lavurié i la fan tüt l'an
        tüt l'an i la fan
sa l'è 'na cośa straurdinaria
i lavurié i lavurié i lan fan tüt l'an
        tüt l'an i la fan

Ant' l'officina ai manca l'aria
ant' le süfiette ant'le süfiette ai manca 'l pan
        ai manca 'l pan
sa l'è 'na cośa urdinaria
i lavurié i lavurié i la fan tüt l'an
        tüt l'an i la fan
sa l'è 'na cośa urdinaria
i lavurié i lavurié i la fan tüt l'an
        tüt l'an i la fan

E cule fíe cal travàiu
e cal travàiu cal travàiu al fabricùn
        al fabricùn
e cule fía cal travàiu
e cal travàiu cal travàiu al fabricùn
        al fabricùn
e cule béle e ben turnìe
a sun le gioie sun le gioie di padrùn
        cui laśarùn
e cule béle e ben turnìe
a sun le gioie sun le gioie di padrùn
        cui laśarùn

Traduzione

Guarda là in quella pianura / le ciminiere non fanno più fumo / è una cosa straordinaria / i lavoratori i lavoratori la fanno tutto l'anno / tutto l'anno la fanno

vita di miseria invece "ordinaria" descritta nella strofa seconda). Non pare quindi aver senso il verso "i lavurié i la fan tüt l'an" nella prima strofa. Nella lezione pubblicata nel copione di Liberovici (vedi nota bibliografica) si hanno invece questi versi: "i padrun da la paüra / as fan guardé da cui d'la lüm" ("i padroni dalla paura si fanno proteggere da quelli della lanterna", cioè i carabinieri).

Nell'officina manca l'aria / nelle soffitte manca il pane / è una cosa normale /
i lavoratori i lavoratori la fanno tutto l'anno / tutto l'anno la fanno
E quelle ragazze che lavorano / che lavorano al fabbricone / e quelle belle e
ben tornite / sono la gioia dei padroni / quei lazzaroni

Bibliografia

S. Liberovici, *Cantistoria d'Italia*, in "Filmcritica", n. 129, gennaio 1963

Discografia

*(Orig) *Il Canavese*
ALBATROS VPA 8146
(Orig) *Avanti popolo alla riscossa* (canta Sandra Mantovani)
DdS DS 158/60 CL

106. IL FEROCE MONARCHICO BAVA
canto politico
Granozzo, Novara (Piemonte)

Su una melodia largamente usata dai cantastorie questo testo ricorda le tragiche giornate di Milano del 1898 e la dura repressione condotta dal generale Bava Beccaris.

Al - le gri - da stra - zian - ti e do - len - ti____ di u - na

fol - la che pan do - man - da - va____ il fe - ro - ce mo - nar - chi - co

Ba - va____ gli af - fa - ma - ti col piom - bo sfa - mò.____

Alle grida strazianti e dolenti
di una folla che pan domandava

il feroce monarchico Bava
gli affamati col piombo sfamò

Furon mille i caduti innocenti
sotto il fuoco degli armati caìni
e al furor dei soldati assassini
morte ai vili la plebe gridò

De' non rider sabauda marmaglia
se il fucile à domato i ribelli
se i fratelli ànno ucciśo i fratelli
sul tuo capo quel sangue cadrà

Su piangete mestissime madri
quando oscura discende la sera
per i figli gettati in galera
per gli ucciśi dal piombo fatal

Discografia

* (Rev) *Canti e inni socialisti* (canta Sandra Mantovani)
DdS DS 9 (17)
* (Rev) *Avanti popolo alla riscossa* (canta Sandra Mantovani)
DdS DS 158/60 CL

107. LA CANZONE DELLA LEGA
strofe politiche
Pianura Padana

Grandissima è stata la diffusione di queste strofe in tutta la Valle Padana, dal Veneto al Piemonte, negli anni di più dura attività delle Leghe contadine (cioè tra il 1900 e il 1914). Ancora oggi *La canzone della lega* è ampiamente ricordata nelle campagne padane, in un gran numero di strofe, variamente combinate fra loro, su melodie molto simili. Le strofe che qui pubblichiamo sono state raccolte nel Mantovano e nel Novarese.

[43"]

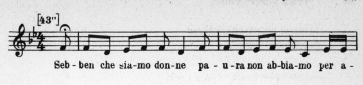

Seb - ben che sia-mo don-ne pa - u - ra non ab-bia-mo per a -

-mor dei no-stri fi - gli per a-mor dei no-stri fi - gli seb -

-ben che sia-mo don - ne pa - u - ra non ab - bia-mo per a -

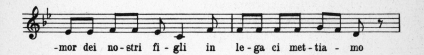

-mor dei no-stri fi - gli in le - ga ci met - tia - mo

a oi - lì oi-lì oi-là e la le - ga la cre - sce-rà e noi-

-al - tri so - cia - li - sti e noi-al - tri so - cia - li - sti

a oi - lì oi-lì oi-là e la le - ga la cre-sce-rà e noi-

-al - tri so - cia - li - sti vo - glia-mo la li - ber - tà.

Sebben che siamo donne
paura non abbiamo
per amor dei nostri figli
per amor dei nostri figli
sebben che siamo donne
paura non abbiamo
per amor dei nostri figli
in lega ci mettiamo [1]
 a oilì oilì oilà
 e la lega la crescerà
 e noialtri socialisti
 e noialtri socialisti
 a oilì oilì oilà
 e la lega la crescerà
 e noialtri socialisti
 vogliamo la libertà

E la libertà non viene
perchè non c'è l'unione
crumiri col padrone
son tutti da ammazzar
 a oilì oilì oilà, ecc.

Sebben che siamo donne
paura non abbiamo
abbiam delle belle buone lingue
e ben ci difendiamo
 a oilì oilì oilà, ecc.

E voialtri signoroni
che ci avete tanto orgoglio
abbassate la superbia
e aprite il portafoglio
 a oilì oilì oilà
 e la lega la crescerà

---

[1] Le strofe che seguono hanno la stessa struttura di questa prima.

e noialtri lavoratori
e noialtri lavoratori
a oilì oilì oilà
e la lega la crescerà
e noialtri lavoratori
i vurùma ves pagà [1]

Discografia

* (Rev) *Canti e inni socialisti*, 2 (canta Sandra Mantovani)
DDS DS 9 (17)
* (Rev) *Le canzoni di "Bella ciao"* (cantano Sandra Mantovani, Giovanna Daffini e coro)
DDS DS 101/3
* (Rev) *Avanti popolo alla riscossa* (canta Sandra Mantovani)
DDS DS 158/60 CL

108. TUTTI MI DICON MAREMMA MAREMMA
rispetto d'emigrazione
Toscana

Rispetto notissimo e ampiamente ripreso, dopo esser stato cantato e registrato da Caterina Bueno, da vari cantanti di pseudo-revival e di cabaret. Il canto ci riporta alla condizione dei montanini toscani che un tempo emigravano stagionalmente nelle maremme per trovar lavoro.

Ne diamo due testi.

[1] *vogliamo essere pagati*

l'uc - cel - lo che ci   va   per - de le   pen - ne
io ci ò per - du - to u - na   per - so - na   ca - ra.

[da E. Levi]

A

> Tutti mi dicon Maremma Maremma
> e a me mi pare una Maremma amara
> l'uccello che ci va perde le penne
> io ci ò perduto una persona cara
> sia maledetta Maremma Maremma
> sia maledetta Maremma e chi l'ama
> sempre mi trema il cor quando ci vai
> perchè ò paura che non torni mai

B
Montagna Pistoiese (Toscana)

> Tutti mi dicon Maremma Maremma
> per me l'è stata una Maremma amara
> l'uccello che ci va perde le penne
> il giovin che ci va perde la dama
> tutto mi trema il cor quando ci vai
> per lo timor che più non tornerai
> tutto mi trema il cor quando ci andate
> per lo timor che voi più non tornate

Bibliografia

A. D'Ancona, *Ricordi ed affetti*, Milano 1908   [m]
A. Pisaneschi, *Maremma amara*, in "Il Folklore Italiano", a. I, fasc. 4, dicembre 1925

Discografia

* (Rev) *I canti di lavoro*, 3 (canta Caterina Bueno)
DDS DS 29 (17)
* (Rev) *Le canzoni di "Bella ciao"* (id.)
DDS DS 101/3
*2(Rev) *La Toscana di Caterina* (id.)
TANK MTG 8010
* (Folk) *Daisy come folklore* (canta Daisy Lumini)
CEDI TC 85006
* (Folk) *Le canzoni degli emigranti*, 2 (cantano Antonio, Giorgio e Daniela)
ZODIACO VPA 8122

109. MAMMA MIA DAMMI CENTO LIRE

canto sull'emigrazione
Cassago, Como (Lombardia)

Conosciutissima e diffusissima in tutta l'Italia settentrionale, questa canzone è l'adattamento al tema dell'emigrazione di una ballata assai nota, di solito pubblicata come *La maledizione della madre*. Nella ballata la madre non vuole che la figlia sposi il re di Francia (o altro personaggio), la figlia disobbedisce e muore attraversando a cavallo un corso d'acqua.

Mamma mia dammi cento lire, come il canto che segue, *Trenta giorni di nave a vapore* si riferisce alle migrazioni dei contadini settentrionali, verso l'America meridionale assai più che quella settentrionale (che attrasse, successivamente, la migrazione meridionale), nella seconda metà del secolo scorso.

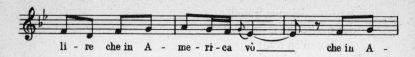

li - re   che in A – me - ri - ca   vò_____   che in A -

-me - ri - ca   vo - glio an - dar   e   vo – glio an - dar.

Mamma mia dammi cento lire
che in America voglio andar,
    e voglio andar,
mamma mia dammi cento lire
che in America voglio andar

Cento lire io te li do
ma in America no no no
    no no no no
cento lire io te li do
ma in America no no no

Suoi fratelli a la finestra
mamma mia lasséla andà,
    lasséla andà
suoi fratelli a la finestra
mamma mia lasséla andà

Quan' fu stata in meźźo al mare
bastimento si l'é fundà
    si l'é fundà
quan' fu stata in meźźo al mare
bastimento si l'é fundà

I miei capelli son ricci e belli
l'acqua del mare li marcirà
    li marcirà
i miei capelli son ricci e belli
l'acqua del mare li marcirà

Le parole dei miei fratelli
sono quelle che m'àn tradì
    che m'àn tradì
le parole dei miei fratelli
sono quelle che m'àn tradì

Le parole della mia i-mamma
son venute la verità
    la verità
le parole della mia i-mamma
son venute la verità

Bibliografia

Questo canto, sia nella versione "emigrazione" che in quella antecedente (*Maledizione della madre*), è riferito in un gran numero di raccolte di "poesia" popolare italiana. Citiamo opere in cui è pubblicata anche la musica.

a) *Maledizione della madre*
L. Sinigaglia, *24 Vecchie canzoni pop. del Piemonte*, Milano 1956   [m]

b) *Mamma mia dammi cento lire*
G. Bollini e A. Frescura, *I canti della filanda*, Milano 1940   [m]
A. Cornoldi, *Ande, bali e cante del Veneto*, Padova 1968   [m]
M. A. Spreafico, *Canti pop. di Brianza*, Varese 1959   [m]
S. Lodi e G. Morandi, *Autobiografia e repertorio di Adelaide Bona*, in "Il Nuovo Canzoniere Italiano", n. 7/8, 1966   [m]

Discografia

* (Orig)   *Northern & Central Italy* (CWLFPM, vol. XV)
COL (USA) KL 5173
* (Rev)   *I canti del lavoro*, 2 (canta Sandra Mantovani)
DDS DS 10 (17)
(Folk)   *Le canzoni degli emigranti* (cantano Antonio, Giorgio e Daniela)
ZODIACO VPA 8115

110. TRENTA GIORNI DI NAVE A VAPORE
canto sull'emigrazione
Mercenasco, Torino (Piemonte)

Altra notissima e diffusissima canzone dell'emigrazione contadina settentrionale verso le Americhe.

Trenta giorni di nave a vapore
fino in America noi siamo arrivati
fino in America noi siamo arrivati
abbiam trovato né paglia e né fieno
abbiam dormito sul nudo e terreno
come le bestie abbiam riposà

E l'America l'è lunga e l'è larga
l'è circondata dai monti e dai piani

e con l'industria dei nostri italiani
abbiam formato paeśi e città
e con l'industria dei nostri italiani
abbiam formato paeśi e città

Discografia

* (Rev) *I Canti del lavoro*, 1 (cantano Sandra Mantovani, Fausto Amodei e Michele L. Straniero)
DDS DS 4 (17)
* (Folk) *Le canzoni degli emigranti* (cantano Antonio, Giorgio e Daniela)
ZODIACO VPA 8115

111. UN BEL GIORNO ANDANDO IN FRANCIA
canto sull'emigrazione
Canino, Viterbo (Lazio)

Sulla melodia di una assai nota canzone amorosa, questo testo si riferisce all'emigrazione recente, del secondo dopoguerra.

Un bel giorno an-dando in Fran - cia   in pover a - bi-ti bor-ghe-

-śi   po-chi sol-di e mol - te spe-śe per cer-ca-re di cam-pà.

Un bel giorno andando in Francia
in pover abiti borgheśi
pochi soldi e molte speśe
per cercare di campà

Ringraziamo età nazione [1]
che ci accoglie tutti quanti

---

[1] *questa nazione*

siamo poveri emigranti
che andiamo a lavorar

Maledetto 'sto governo
maledetti 'sti signori
che non pensano ai dolori
di chi campa di lavor

Noi partiamo con rimpianto
con in cuore la tristezza
ma la caśa che ci aspetta
un bel dì ci rivedrà

O compagni che restate
combattete anche per noi
anche lontani siam con voi
pronti a batterci e lottar

Discografia

Per la canzone da cui questa versione deriva:
(Orig) *La Donna lombarda*
DDS DS 18 (17)
(Orig) *Alla todina*
CEDI TC 85005

112. VICARIOTE
canti di carcere
Palermo (Sicilia)

"Vicariota" dal nome del vecchio carcere della Vicaria, a Palermo.

A

Ent'a la Vi - ca-ri - a   e ci su' li gua- i

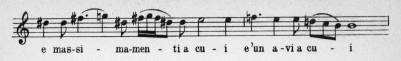

e mas-si - ma-men-ti a cu - i   e'un a-vi a cu - i

pi tut-ti ven - nu a-mi-ci   e   pi mia ma - i

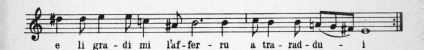

e li gra-di mi l'af-fer - ru   a tra-rad-du - i

su - lu su - lid - du mi _____ cun-tu li gua - i

la not - ti'un dor - mu no   ca   pen-su a vù - i

chian-ciu dda sfur-tu - na - ta   e   di me' ma - tri

ma quan-nu la per - si nun   la vit - ti chiu - i.

[da A. Favara]

Ent'a la Vicaria e ci su' li guai
e massimamenti a cui e'un avi a cui
pi tutti vennu amici e pi mia mai
e li gradi mi l'afferru a traddui

Sulu suliddu mi cuntu li guai
la notti 'un dormu no ca pensu a vùi
chianciu dda sfurtunata e di me' matri
ma quannu la persi nun la vitti chiùi

B
Palma di Montechiaro, Palermo (Sicilia)

Lu li - bru di ____ li 'nfa - mi   t'ac - ca - ta - sti

a la pri - ma 'nfa - mi - tà ___   mi la fa - ci - sti.

[da A. Favara]

Lu libru di li 'nfami t'accatasti
a la prima 'nfamità mi la facisti

nun sentu nè riloggiu nè campani
sulu chi sentu scrusciu di campani

sentu chiamari mamma e m'allamicu
chi mamma m'arrispunni la catina

p'ammazzari stu 'nfami chi ci voli
'na palla vecchia e un pugnu di lupara

Traduzione

A) Nella Vicaria ci stanno i guai / e soprattutto per chi non ha protettori / Per tutti vengono amici e per me mai / e alle grate m'afferro con due mani / Solo soletto conto i miei guai / la notte non dormo no che penso a voi / piango quella sfortunata di mia madre / da quando la persi non l'ho vista più

B) Il libro degli infami ti comprasti / e la prima infamità l'hai fatta a me / Non sento né orologio né campana / soltanto sento scroscio di campane / Sento chiamare mamma e mi dispero / e mi risponde il suono della catena / Per ammazzare questo infame che ci vuole / Una palla vecchia e un pugno di lupara

Bibliografia

G. Favara, *Corpus di musiche pop. siciliane*, vol. 2, Palermo 1957
A. Uccello, *Carcere e mafia nei canti pop. siciliani*, Palermo 1965

Discografia

* (Rev) *Lu carzaratu* (canta Giuseppe Ganduscio) (A. B.)
RICORDI DRF 4 (17)
Family SFR-RI 651
* (Rev) *Canzoni dal carcere*, 2 (canta Giuseppe Ganduscio) (A) DDS DS 47·

113. ERO POVERO MA DISERTORE
canto militare
Alpi lombarde

Questo canto è quasi certamente di origine veneto-trentina, almeno nelle lezioni a noi note e generalmente conosciute. Questa origine è attestata dalla citazione di Ferdinando imperatore. Nonostante i suoi contenuti protestatari, il canto ha trovato accoglienza anche nei canzonieri ufficiali della prima guerra mondiale e ciò in ragione del fatto che la diserzione appare verificarsi dalle fila dell'esercito austriaco. In realtà è facile ipotizzare che i soldati italiani che cantarono questo canto non riconoscessero una simile finezza filosofica, ma lo cantassero per il suo preciso valore contro la guerra. Il canto è stato raccolto un po' dovunque in tutta l'Italia settentrionale, e particolarmente nella regione alpina.

E - ro po - ve - ro _ ma di - ser - to - re e di - ser-

-ta - i dal - le mi - e fron - tie - re e Fer - di-

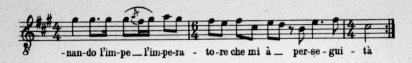

-nan-do l'im-pe _ l'im-pe-ra - to-re che mi à _ per-se-gui - tà

Ero povero ma diśertore
e diśertai dalle mie frontiere
e Ferdinando l'impe – l'imperatore
che mi à perseguità

Valli e monti ò scavalcato
e dai gendarmi ero inseguito
quando una sera mi addo – mi addormentai
e mi śvegliai incatenà

Incatenato le mani e i piedi
e in tribunale mi ànno portato
ed il pretore mi à do – mi à domandato
perché mai sei incatenà

Io gli rispośi francamente
camminavo nella foresta
quando un pensiero mi viene – mi viene in testa
di non fare ma più il soldà

Caro padre che sei già morto
e tu madre che vivi ancora
se vuoi vedere tuo figlio alla tortura
condannato senza ragion

O compagni che marciate
che marciate al suon della tromba
quando sarete su la – su la mia tomba
griderete pietà di me

Nota: gli ultimi due versi d'ogni strofa possono essere ripetuti

Bibliografia

La canzone è presente in molti canzonieri, anche ufficiali, della prima guerra mondiale. Cfr:
P. Jahier e V. Gui, *Canti di soldati*, Trento 1919   [m]

Discografia

* (Rev)   *Il povero soldato*, 2 (cantano Fausto Amodei, Sandra Mantovani e Michele L. Straniero)
DDS DS 13 (17)

114. O PIAMONTESI
canto militare
Dossena, Bergamo (Lombardia)

Questa canzone, per più d'un aspetto molto interessante, risale probabilmente a poco dopo il 1859, quando cioè i piemontesi, con l'annessione della Lombardia, introdussero la leva obbligatoria.

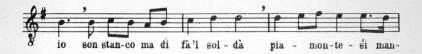

O piamonteśi mandìmi a caśa
che io son stanco ma di fà 'l soldà
o piamonteśi mandì – mandìmi a caśa
che io son stanco ma di fà 'l soldà

Ma se posso rivare a caśa
di questi abiti io mi spoglierò
ma se posso rivà – rivare a caśa
di questi abiti io mi spoglierò

Ma se posso rivare a caśa
di capo ai piedi io mi laverò
ma se posso rivà – rivare a caśa
di capo ai piedi io mi laverò

E con l'aqua e col sapone
di capo ai piedi io mi laverò
e con l'aqua e col – e col sapone
di capo ai piedi io mi laverò

E col gesso farem le pipe
e col tabacco noi si fumerà
e col gesso farem – farem le pipe
e col tabacco noi si fumerà

Discografia

* (Rev) *E per la strada* (canta Sandra Mantovani)
DDS DS 143/45 CL

115. SENTI LA TROMBA
canto militare
Cassago, Como (Lombardia)

Sen - ti la trom-ba giù per le stra-de   que-sto è il se-gna-le

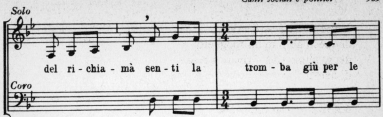

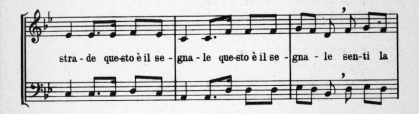

Senti la tromba giù per le strade
questo è il segnale dei richiamà
     senti la tromba giù per le strade
     questo è il segnale
     questo è il segnale
     senti la tromba giù per le strade
     questo è il segnale dei richiamà [1]

Dei richiamati sul fianco destro
che al distretto dobbiam partir
dei richiamati, ecc.

[1] Le strofe che seguono hanno la stessa struttura di questa prima.

Dobbiam partire in allegria
in compagnia del battaglion
dobbiam partire, ecc.

Quando ritorno ti porto un fiore
viva l'amore chi lo sa far
quando ritorno, ecc.

Ritorneremo sta primavera
con la bandiera dei tre color
ritorneremo, ecc.

La metteremo su quel balcone
tutto Sirone [1] sì la vedrà
lo metteremo, ecc.

Discografia

* (Rev)   *E per la strada* (canta Sandra Mantovani)
DDS DS 143/45

116. RAGAZZINE CHE FATE L'AMORE
canto militare
Valtorta, Bergamo (Lambardia)

Ra - gaz - zi - ne che fa - te l'a - mo - re_____

_ ca - pi - re - te con giu - sta ra - gion_____ non vi è al

[1] Paese vicino a Cassago.

mon - do   più   a - spro   do - lo - re   che   ve - de - re ___ l'a -

-man - te a   mo - rir ___   non vi è al mon - do   più   a - spro   do -

-lo - re   che   ve - de - re ___   l'a - man - te a   mo - rir ___

Le note piccole rappresentano una eventuale prima voce poiché l'esecutore della registrazione esegue, dalla battuta 9, una seconda voce

Ragazzine che fate l'amore
capirete con giusta ragion
non vi è al mondo più aspro dolore
che vedere l'amante a morir
non vi è al mondo più aspro dolore
che vedere l'amante a morir

Ho deciśo per Pasqua spośarmi
ma il destino non vuole così
non aveva compiuto i vent'anni
là sul Piave innocente morì   } 2

Mi ricordo quei teneri baci
che mi davi stringendomi al sen
mi dicevi sei bella e mi piaci
sulla terra sei nata per me   } 2

Da quel dì che la morte crudele
al mio fianco l'amore rapì
al pensar ch'era tanto fedele
non ò pace né notte né dì   } 2

Piango sempre da sera a mattina
e di notte sto sempre a pregar
vivo sola nel mondo meschina
finché in cielo lo vado a trovar

} 2

Discografia

* (Orig)   *Addio padre*
DDS DS 304/6 CL
* (Rev)   *Aria di casa nostra* (canta il Duo di Piadena)
TANK MTG 8010

117. ADDIO PADRE E MADRE ADDIO
canto militare
Lombardia

Canzone su modulo di cantastorie e forse diffusa dai cantastorie (anche se manca il riscontro del foglio volante). Troviamo questo canto in gran parte dell'Italia settentrionale, in numerose versioni. Pare essere una delle più conosciute fra le canzoni della prima guerra mondiale, anche se probabilmente è antecedente.

che per l'I - ta - lia mi toc - ca di   mo - rir.

Addio padre e madre addio
che per la guerra mi tocca di partir
ma che fu triste il mio destino
che per l'Italia mi tocca di morir

Lascio la moglie con due bambini
o casa mamma pensaci tu
quan' sarò in meźźo a quegli assassini
mi uccideranno e non mi vedrai più

Quando fui stato in terra austriaca
subito l'ordine a me m'arrivò
mi dan l'asalto la baionetta in canna
addirittura un macello diventò

E fui ferito ma una palla al petto
i miei compagni li vedo a fuggir
ed io per terra rimaśi costretto
mentre quel chiodo [1] lo vedo a venir

Fermati o chiodo che sto per morire
pensa a una moglie che piange per me
ma quel infame col cuore crudele
col suo pugnale morire mi fé

Voialtre mamme che soffrite cośì tanto
per allevare la bella gioventù
nel cuor vi restano lacrime e pianto
pei vostri figli che muore laggiù

Sian maledetti quei giovani studenti
che ànno studiato e la guerra àn voluto

---

[1] "chiodo": soldato tedesco, con il chiodo sull'elmo.

ànno gettato Italia nel lutto
per cento anni dolor sentirà

Nota: gli ultimi due versi d'ogni strofa possono essere ripetuti

Discografia

* (Orig)   *Addio padre*
DDS DS 304/6 CL
* (Rev)   *Il povero soldato*, 1 (canta Sandra Mantovani)
DDS DS 7 (17)

118. O PARTIGIANO CHE COŚA RIMIRI
canto della Resistenza
Collio, Brescia (Lombardia)

È la versione partigiana di una canzone narrativa conosciuta generalmente come *Il marinaio*, pubblicata in questa stessa raccolta (n. 77).
Dalle ricerche risulta oggi conosciuta, nella versione della Resistenza,
in Emilia e nel Bresciano. Fu particolarmente cantata dalla 31ª Brigata
Garibaldi, operante attorno a Pellegrino Parmense.

O par-ti - gia-no do-vè la tua ban-da_____ e la me
ban-da l'è qua e l'è là l'è là sui mo -on-ti   a guer-reg-giar.

Partigiano che cośa rimiri
partigiano che cośa rimiri
io rimiro la figlia tua
l'è la più bèlla della città
io rimiro la figlia tua
l'è la più bèlla della città

Se la mia figlia l'è la più bèlla   3
al partigiano non gliela dò
se la mia figlia l'è la più bèlla
al partigiano non gliela dò

Se vostra figlia non me la darete   2
verrò di notte la ruberò
sugli alti monti la porterò   } 2

E la mia figlia te la darìa   3
a star set'anni senza un bacìn
e la mia figlia te la darìa
a star set'anni senza un bacìn

Mamma mia che gran giuramento   2
avér l'amante così vicin
e star set'anni sénsa un bacìn   } 2

Partigiano dov'è la tua banda   2
la mia banda l'è chì e l'è là
l'è là sui monti a gueregiàr   } 2

E la figlia l'è tutta contenta   2
la va sui monti coi partigian
la va sui monti a gueregiàr   } 2

Bibliografia

T. Romano e G. Solza, *Canti della Resistenza Italiana*, Milano, 1960

Discografia

(Orig) *Canti della Resistenza*, 1
DDS DS 2 (17)

119. E QUEI BRIGANTI NERI
canto della Resistenza
Omegna, Novara (Piemonte)

Molto cantato e conosciuto nell'Ossola, questo canto, fra i più intensi
e veramente popolari della Resistenza, deriva da un antecedente testo da cantastorie dedicato all'anarchico Sante Caserio (vedi canto n.
84 per notizie). Nella nuova funzione di canto è stato profondamente
rimaneggiato, ma alcuni elementi del testo d'origine sono rimasti. Si
vedano la terza e la quarta strofa, con il riferimento al pugnale con
il "manico rotondo" (che nei testi della versione di Caserio è pianta-
to "a fondo" nel cuore del presidente, cioè il presidente della repubblica francese Sadi Carnot) e alla richiesta di rivelare il nome del
presunto complice (che nelle lezioni precedenti suona: "se si che lo
conosco / ma non dirò chi sia / io faccio il fornaio / e non la spia").

E quei briganti neri m'ànno arrestato
in una cella scura m'àn gettato

mamma non devi piangere
per la mia triste sorte
piuttosto di parlare
vado alla morte
mamma non devi piangere
per la mia triste sorte
piuttosto di parlare
vado alla morte

E quando mi portarono alla tortura
legandomi le mani alla catena
    legate pure forte
    le mani alla catena
    piuttosto di parlare
    torno in galera   2

E quando mi portarono al tribunale
dicendo se conosco il mio pugnale
    si si che lo conosco
    à il manico rotondo
    nel cuore dei fascisti   2
    lo piantai a fondo

E quando mi portarono al tribunale
dicendo se conosco il mio compare
    si si che lo conosco
    ma non dirò chi sia
    io faccio il partigiano   2
    e non la spia

E quando l'esecuzione fu preparata
fucili e mitraglie eran puntati
    non si sentiva i colpi
    i colpi di mitraglia
    ma si sentiva un grido
    viva l'Italia
    non si sentiva i colpi

> i colpi del cannone
> ma si sentiva un grido
> rivoluzione

Bibliografia

Per il testo antecedente (Sante Caserio):
L. Settimelli e L. Falavolti, *Canti anarchici*, Roma 1972

Discografia

* (Rev) *Canti della Resistenza*, 2 (cantano Fausto Amodei e Michele L. Straniero)
Dds Ds 8 (17)

120. O BELLA CIAO
canto della Resistenza

La più famosa, ormai, delle canzoni della Resistenza italiana. La grande diffusione del canto, però, inizia con gli Anni Sessanta, dopo che fu incisa da Yves Montand e fu assunta come titolo di uno spettacolo presentato al Festival di Spoleto (1964).

Sulle ascendenze della canzone oggi si sa che devono cercarsi in un gioco infantile (pubblicato in questa stessa raccolta con il numero 6) per quanto riguarda la musica (e il gioco già contempla il battito delle mani) e nella notissima ballata conosciuta come *Fiore di tomba* (vedi canto n. 75) per quanto riguarda il testo.

Sulla nascita della versione partigiana si sa pochissimo. Le ricerche a noi note non hanno chiarito né dove né quando essa sia nata. Il dottor Grosso, di Perugia, afferma di averla imparata durante la avanzata su Bologna, mentre militava con i reparti regolari aggregati agli Alleati. Altre testimonianze indicano la zona di Montefiorino, sull'Appennino emiliano, come luogo di presenza del canto durante la Resistenza.[1]

---

[1] Per altre notizie su questo canto e sulla posteriore versione di risaia si veda quanto scritto a proposito del canto n. 6.

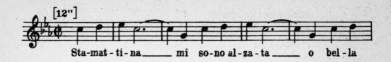

Stamattina mi sono alzata
    o bella ciao bella ciao bella ciao ciao ciao
stamattina mi sono alzata
e ò trovato l'invasor [1]

O partigiano portami via
che mi sento di morir

E se io muoio da partigiano
tu mi devi seppellir

Seppellire lassù in montagna
sotto l'ombra di un bel fior

E le genti che passeranno
e diranno o che bel fior

È questo il fiore del partigiano
morto per la libertà

---

[1] Le strofe che seguono hanno la stessa struttura di questa prima.

Bibliografia

Il canto è stato pubblicato ormai innumerevoli volte. Citiamo le tre raccolte di più vecchia data a noi note:

Canti della libertà, Roma 1957 (Suppl. di *Patria indipendente*, offerto in omaggio ai partecipanti al primo raduno nazionale della Resistenza, a Roma)

Canzoni partigiane e democratiche, Roma 1955 (a cura della Commissione giovanile del PSI)

T. Romano e G. Solza, *Canti della Resistenza Italiana*, Milano 1960

Discografia

Anche le edizioni discografiche sono numerosissime.

Elenco dei canti

V
CONTRASTI

VI
CANZONI NARRATIVE

VII
CANTI DI LAVORO E SUL LAVORO

VIII
CANTI SOCIALI E POLITICI

I canti nn. 2, 3, 5, 10, 14, 16, 28, 41 b, 66, 88, 94 a sono desunti da registrazioni conservate nell'archivio del CNSMP, Roma, cortesemente trasmesse da Giorgio Nataletti ai compilatori di questa raccolta.

I canti nn. 52, 54, 74, 106, 107 part., 117 part. sono conservati nell'archivio dell'Istituto E. De Martino, Milano e sono stati gentilmente messi a disposizione di Sandra Mantovani per il suo repertorio.

I compilatori ringraziano inoltre i vari raccoglitori che, con il loro lavoro, hanno reso possibile la redazione di questa antologia, e in special modo Diego Carpitella, Bruno Pianta e Pietro Sassu.

*Questo volume è stato impresso nel mese di ottobre 1973
nelle Officine Grafiche di Verona della Arnoldo Mondadori Editore
Stampato in Italia - Printed in Italy*